Компьютер **на 100%**

Умные книги для умных людей!

Марина Виннер

КОМПЬЮТЕР
без страха
для тех кому за...

Москва ЭКСМО 2011

УДК 004.38/.4
ББК 32.973.26
В 48

Виннер М.

В 48   Компьютер без страха для тех, кому за... / Марина Виннер . — М. :
Эксмо, 2011. — 256 с. : ил. — (Компьютер на 100%).

ISBN 978-5-699-36293-6

Компьютер кажется безумно сложным устройством, мышь и клавиатура вызывают невольный трепет, а мысль о том, что это все НАДО изучить и освоить, терзает постоянно? Вам кажется, что все это для молодежи, а человек в возрасте не может в этом разобраться? Это, конечно же, не так! Главное – хороший учитель. Если вы держите в руках эту книгу, то такой учитель у вас уже есть! Простой язык, доступное объяснение, полная информация как об устройствах, так и об основных программах. Кроме того, в книге вы найдете множество упражнений с подсказками и подробным описанием последовательности выполнения действий.

После прочтения этой книги и выполнения всех заданий компьютер перестанет казаться вам чудовищем, а станет настоящим помощником и другом!

УДК 004.38/.4
ББК 32.973.26

ISBN 978-5-699-36293-6

Содержание

Введение

Компьютер — уже давно не роскошь. Он есть практически в каждом доме, и умением обращаться с ним давно никого не удивишь. Работать с документами, рисовать, выполнять основные операции с папками и пользоваться Интернетом сейчас учат в школе. Однако старшее поколение не было знакомо с таким предметом как информатика. Приходится учиться. Можно пойти на курсы либо попробовать освоить компьютер самостоятельно с помощью книги. Причины для этого могут быть самые разные: на работе умение обращаться с компьютером — обязательное требование, а подсказать и научить некому; дома все с ухмылкой смотрят на попытки разобраться с мышью и клавиатурой, а просьбы о помощи вызывают недоумение: «Как можно не понимать этого, все же так просто — нажимаешь сначала это, а потом это и вот здесь...». Действие выполнено, но повторить его, увы, вы не можете. С возрастом учиться сложнее, и, чтобы запомнить, многое приходится повторять несколько раз или записывать. «Ну а специальные термины, наверное, вообще невозможно выучить», — думаете вы. «Это вовсе необязательно!» — отвечу я.

Именно поэтому язык данной книги максимально упрощен, а все действия описаны пошагово, что облегчает восприятие и усвоение. Для большинства стандартных операций предлагается несколько способов — начиная с простого и заканчивая более сложным. Имеет смысл выбрать самый удобный для себя способ и пользоваться только им, хотя я рекомендую в дальнейшем применять различные способы в зависимости от ситуации. Многие разделы сопровождаются упражнениями с подсказками: вы можете выполнять их самостоятельно, без посторонней помощи, а свои документы в дальнейшем делать по образцу. В Приложениях есть задания — на случай, если вы захотите потренироваться.

Перед тем как вы начнете изучать материал книги, я бы хотела дать вам несколько советов, которые, надеюсь, окажутся полезными и облегчат процесс постижения навыков работы на компьютере.

Приступая к изучению компьютера, **важно помнить следующее**.

- *Не стоит бояться!* Вы вряд ли сможете что-то серьезно повредить. Лучше перед началом работы прочитайте раздел «Отмена действия» — это ваша скорая помощь на все случаи, которые могут испугать вас и отбить желание учиться. Поверьте, у вас явно недостаточно знаний, чтобы сломать компьютер!

- *Учитесь правильно работать с мышью!* Работе с этим устройством посвящен целый раздел — прочитайте его и упражняйтесь. Неправильные действия мышью, как правило, и вызывают все эти непонятные вещи, которые происходят на экране.

- *Читайте внимательно!* Читайте все сообщения, которые выдает компьютер. Читайте все мои замечания по поводу тех или иных операций. Выполняйте все операции именно по пунктам — так, как написано в книге.

- *Работайте на компьютере!* Старайтесь выполнять все, что написано, — делайте задания, придумывайте их себе сами. Практика — это уже половина успеха.

Итак, наберитесь терпения — вряд ли все получится сразу, но в будущем — обязательно. Начинайте читать книгу — последовательно, внимательно и не спеша, и сразу отрабатывайте все на компьютере.

Желаю вам успехов!

Что такое компьютер

Компьютер (сокращенно ПК — персональный компьютер) — это совокупность устройств. Но не только устройств, поскольку сами по себе они работать не будут. Компьютер — это две главные взаимодополняющие составляющие: техника и программы. Рассмотрим пока «техническую» сторону вопроса.

Основных составляющих комплекта под названием «компьютер» четыре (рис. 1):

- монитор;
- системный блок;
- клавиатура;
- мышь.

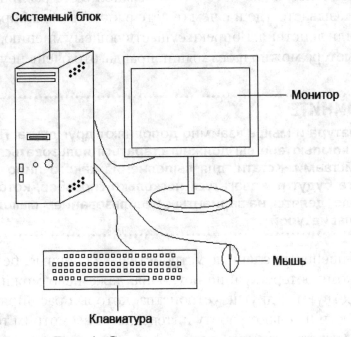

Рис. 1. Составляющие компьютера

Монитор (он же дисплей) — это устройство отображения информации. Проще говоря, это «телевизор», который показывает, что мы делаем на компьютере. Многие ошибочно полагают, что именно монитор и есть сам компьютер, но это не так. Монитор — это вспомогательное устройство, безусловно, важное, но все же не основное.

Системный блок — это «коробка», стоящая у вас на столе или под ним, к которой подключены монитор, клавиатура, мышь и другие устройства, если они есть. Если и называть что-то словом «компьютер», то именно системный блок. В нем расположен «мозг» компьютера — процессор.

Клавиатура — это специальное устройство для ввода информации. На ней расположено множество кнопок, необходимых для ввода текста (в большинстве случаев; о назначении других клавиш мы поговорим позже).

Мышь — это также устройство для ввода информации. Она удобна и проста в использовании. Это как бы ваша рука, или, скорее, палец, с помощью которого вы выполняете различные операции: указываете, где и с чем будете работать, и выбираете программы или действия. Вопреки существующему мнению, работать на компьютере можно и без мыши, правда, это очень неудобно.

....

ЗАПОМНИТЕ

Клавиатура и мышь взаимно дополняют друг друга. При работе на компьютере вы должны стараться пользоваться обоими устройствами. Кстати, для выполнения какого-либо действия в книге будут предлагаться несколько способов, которые, как правило, делятся на варианты с использованием мыши и работы с клавиатурой.

....

Все вышеперечисленные устройства — основные, без них работа на компьютере крайне неудобна, даже невозможна. Кроме них существуют и другие устройства, которые расширяют ваши возможности и делают работу интереснее. Рассмотрим те, с которыми вы можете встретиться.

Звуковые устройства

Чтобы услышать какой-либо звук (мелодию, звуковую дорожку к фильму и т. д.), необходимы *колонки* или *наушники* (данные устройства крайне просты в использовании — достаточно подсоединить их к системному блоку через специальный разъем (спереди или сзади), и можно слушать музыку). Обращаю ваше внимание, что разъем, предназначенный для подсоединения колонок или наушников, обозначен мини-изображением наушников или будет такого же цвета, что и штекер подключаемого устройства. Если вы все подключили, а звука нет, то, скорее всего, вы перепутали разъемы — попробуйте подсоединить оборудование к другому.

ЗАПОМНИТЕ

В системный блок встроено звуковое устройство, которое работает как сигнализация — вы слышите специфический звук только в чрезвычайных ситуациях.

К компьютеру можно также подключить *микрофон*, чтобы, например, записывать свои голосовые сообщения или разговаривать с кем-нибудь через Интернет.

Принтер и сканер

Если вы хотите увидеть на бумаге текст (картинку или фото), который в данный момент отображен на экране монитора, вам понадобится *принтер*. Печатать можно практически что угодно, но следует помнить, что недостаточно просто подключить кабель к системному блоку, чтобы принтер стал работать. Это устройство требует настройки.

Принтеры бывают лазерные (с помощью специального порошка и лазера ваше изображение пропечатывается на бумаге) и струйные (в них печать осуществляется с помощью краски). Каким бы принтером вы ни пользовались, он нуждается в заправке. Заправляют картридж — специальное устройство (хранилище порошка или краски), которое можно без труда извлечь.

....

ЗАПОМНИТЕ

При необходимости заправки картриджа (это определяется по некачественной печати — нечеткое, бледное изображение или, например, появление белых полос посреди печатаемого текста) сам принтер брать с собой не нужно — достаточно самостоятельно или с помощью специалиста извлечь картридж и отдать его для заправки.

....

Обратную операцию — перенос изображения или текста с бумаги (или любого другого ПЛОСКОГО объекта) на экран монитора выполняет *сканер*. Как и принтер, он нуждается в предварительной настройке.

Для сканирования и обработки полученного изображения нужна специальная программа.

Сейчас существуют также устройства, которые совмещают в себе функции сканера, принтера, а также ксерокса.

Вернемся к основным составляющим компьютера.

Монитор

Монитор еще называют «дисплей», и, как уже говорилось, это своего рода телевизор. Старые модели — массивные и больше всего похожи на телевизор. Кстати сказать, принцип работы у них схожий (на основе электронно-лучевой трубки). Если у вас такой монитор, необходимо помнить следующее: с тыльной стороны монитора есть электромагнитное излучение, именно поэтому по правилам техники безопасности его необходимо размещать так, чтобы это изучение было направлено на стену. Современные мониторы работают по другому принципу, они более компактные (плоские), менее вредные для глаз, и, как следствие, они дороже. Это жидкокристаллические мониторы, представляющие собой плоский экран на подставке.

Все мониторы характеризуются диагональным размером, который измеряется в дюймах. Так, существуют мониторы 15" (15-дюймовые), 17" (17-дюймовые) и аналогично 19" и 21". Чем больше дюймов диагональ, тем больше размер экрана.

Системный блок

Главные составляющие компьютера находятся именно в системном блоке. Рассмотрим только самые важные комплектующие, которые необходимо знать каждому пользователю.

Вы, наверное, удивитесь, узнав, что внутри системный блок практически пустой. В нем находится *материнская плата* (название происходит от слова «мама», несложно догадаться, что это основная плата). На ней расположены:

* *процессор* — мозг компьютера, который выполняет все операции; модель процессора — это одна из важнейших характеристик компьютера;

* *оперативная память* (название происходит от слова «операция, действие»); чем больше эта память, тем больше операций в секунду (!) может выполнить ваш компьютер; эта память — тоже важная характеристика при выборе ПК.

Это далеко не все, что находится на материнской плате, но для начала вам достаточно знать о существовании процессора и оперативной памяти.

Еще внутри системного блока находится *винчестер*, или постоянная память компьютера (винчестер еще называют жестким диском). Все, что вы храните на своем ПК, находится именно там: документы, музыка, фото, фильмы, программы и т. д. Объем (вместимость) современных жестких дисков измеряется в гигабайтах (Гбайт). Чем больше объем вашего винчестера, тем больше информации вы сможете хранить у себя на компьютере. Для сравнения: один фильм хорошего качества занимает примерно 1,3 Гбайт памяти, и если объем вашего винчестера 200 Гбайт, вы сможете хранить на компьютере около 150 фильмов.

Внутри системного блока также находится *блок питания*, преобразующий ток, поэтому если вы думаете, что включенный компьютер потребляет много электроэнергии, вы заблуждаетесь. Если вы решили отойти попить кофе, то не нужно выключать компьютер в целях экономии — оставляйте его работать. Через некоторое время он автоматически перейдет в экономный режим и практически не будет потреблять электроэнергию.

Первое, что вы слышите при включении компьютера, — это шум *кулера*, проще говоря, вентилятора. Зачем он нужен? Дело в том, что основную работу выполняет процессор (а это многие тысячи операций в секунду!), и в процессе ее он нагревается, а чтобы не произошло перегревание, необходимо охлаждение.

ЗАПОМНИТЕ

Именно для нормальной циркуляции воздуха внутри системного блока рекомендуется ставить их на компьютерные столы, у которых есть специальная подставка.

Изменения в шуме вентилятора чреваты печальными последствиями: если кулер работает плохо, процессор может сгореть, и вам придется потратить приличную сумму денег на его замену. Причиной «неправильного» шума может стать обычная пыль.

В системный блок встраиваются специальные устройства для чтения дисков. Они расположены спереди в самом верху. У каждого такого устройства (их может быть несколько или только одно) есть кнопка открытия/закрытия. Можете проверить, как оно работает (при этом компьютер должен быть включен): при нажатии кнопки выезжает специальная подставка для диска, а при повторном нажатии этой же кнопки она уезжает обратно.

В зависимости от характеристики эти устройства называются *привод CD-ROM* (произносится как «си-ди ром») или *привод DVD-ROM* («ди-ви-ди ром»). Что это за характеристики? Изначально диски бывают CD («си-ди») или DVD («ди-ви-ди»). Внешне они практически не различаются, а отличаются объемом (количеством) информации, которая на них помещается.

ЗАПОМНИТЕ

Если у вас привод CD-ROM, то он сможет прочитать только информацию с CD, а вот привод DVD–ROM — это универсальное устройство, которое читает любые диски — и CD, и DVD. Если вы вставите не тот диск в ваше устройство, ничего страшного не произойдет — на экране просто появится сообщение, что компьютер не может прочитать данный диск.

Еще одним полезным устройством является *USB-порт* («ю-эс-би порт»), в который подключают, например, флеш-память и USB-кабель. Этот порт (их может быть несколько) в зависимости от модели может располагаться сзади системного блока (в устаревших моделях такой способ размещения неудобен), спереди (более удобное расположение) или на клавиатуре.

Клавиатура и мышь

Клавиатура и *мышь* — это устройства для ввода информации, которые взаимно дополняют друг друга.

По внешнему виду клавиатуры могут различаться, но по назначению и стандартному набору клавиш они все одинаковые. Дополнительные клавиши на них только добавляют возможности, но, по сути, без них можно обойтись.

Самой распространенной моделью является мышь с двумя кнопками и колесиком (скроллом) посередине. Чем проще модель, тем проще с ней работать. Наличие дополнительных кнопок может только усложнить работу при освоении азов. Главное, чтобы мышь удобно располагалась в руке и послушно выполняла все действия.

Существует множество моделей. Различают беспроводную и обычную мышь, которая подключена к системному блоку с помощью специального провода; кроме того, мышь может быть оптической (если вы ее поднимете, увидите красный свет) и шариковой (с обратной стороны мыши находится шарик). Если выбирать между шариковой и оптической, удобнее, конечно, оптическая (она лучше чувствует ваши движения и может работать без коврика). Беспроводная же мышь или обычная, решать вам. В любом случае каждая мышь заслуживает специальный коврик, который обеспечивает ей ровную рабочую поверхность, результатом чего является беспрекословное подчинение мыши вашим требованиям.

ЗАПОМНИТЕ

Работать с клавиатурой и мышью нужно чистыми и сухими руками.

Основы техники безопасности

Компьютер — это, в первую очередь, техника, которая нуждается в правильной эксплуатации. Следует соблюдать правила безопасности. Сначала поговорим о компьютере.

- Монитор (экран) должен стоять на столе так, чтобы его тыльная сторона была повернута к стене. Если у вас два компьютера, то они должны размещаться так, чтобы излучение от каждого из них не было направлено ни на одного пользователя.

- Вытирать пыль с монитора нужно только когда он выключен. Если у вас жидкокристаллический монитор, то для его очистки существуют специальные салфетки.

- Какой бы ни был у вас монитор, не трогайте его пальцами. Если это старая модель (как телевизор), на нем будут оставаться жирные пятна, а если у вас хороший дорогой ЖК-монитор, вы можете испортить его — на экране в тех местах, где вы неосторожно нажали поверхность экрана, появятся «мертвые точки».

- Системный блок (коробка) должен стоять на специальной подставке или просто на столе; главное, чтобы к нему не было ограничения доступа воздуха.

- Если какое-то устройство не работает, вы можете проверить, не отсоединился ли провод, но только когда компьютер выключен.

- Если при работе вы почувствовали запах гари, выключите компьютер из розетки и обратитесь к специалисту.

- Если компьютер стал шуметь не так, как обычно, сообщите об этом специалисту.

Теперь поговорим непосредственно о вас.

- При работе на компьютере расстояние от глаз до монитора должно быть минимум 50 см.

- Работать следует с перерывами, а в промежутках — делать упражнения для глаз.

- Желательно, чтобы у вас был специальный компьютерный стол. На нем не только продумано, где будет стоять техника, но и место для клавиатуры подобрано таким образом, чтобы ваши руки меньше уставали. Не забывайте и про гимнастику для кистей.

Информация

Все, с чем мы будем работать на компьютере, можно назвать одним словом «информация». Годовой отчет, фотографии с отдыха, видеозапись с мобильного телефона, фильм — все это информация, которую можно обрабатывать с помощью компьютера: просматривать, изменять, сохранять, удалять. Возможностей очень много.

Когда мы говорим об информации, возникает вопрос: а как же ее измерять? Текст можно измерить, например, количеством слов, а фильм — минутами, но ведь нужна одна единица измерения для разных типов информации. Именно поэтому все, что хранится на компьютере, измеряется объемом памяти, который оно занимает на жестком диске (винчестере). А как же этот объем определяет компьютер?

В чем измерять информацию

Вся информация на компьютере измеряется в битах и байтах. Бит — это минимальная единица, но она слишком мала, поэтому часто используют байт, который равен 8 бит, а еще чаще пользуются мега- и гигабайтами.

1 Кбайт (килобайт) = 2^{10} Байт = 1024 Байт ≈ 1000 Байт.

1 Мбайт (мегабайт) = 2^{20} Байт = 1024 Кбайт ≈ 1000 Кбайт.

1 Гбайт (гигабайт) = 2^{30} Байт = 1024 Мбайт ≈ 1000 Мбайт.

Если ориентироваться на приближенные значения, то все очень просто запомнить — это как переводить метры в километры.

Почему тогда, например, 1 Кбайт = 2^{10} Байт — откуда двойка? Дело в том, что вся информация (не только тексты, но и фото и даже видео) представляется в компьютере в двоичной системе, в которой все записывается только с помощью двух символов — 0 и 1.

На чем переносить информацию

Любую информацию (документы, фото, фильмы, музыку и программы) можно переносить с одного компьютера на другой. Для этого существуют специальные устройства (носители), на которые данные можно записать, а потом с них же прочитать. В настоящее время самыми распространенными являются диски (CD или DVD) и флеш-память.

CD и DVD отличаются емкостью. Так, на один CD можно записать примерно 700 Мбайт, а на один DVD — около 4 Гбайт, или примерно 4 000 Мбайт, то есть около 5,7 CD.

Диски — и CD, и DVD — бывают «одноразовыми» и для многоразового использования (чтобы было проще ориентироваться, каждый диск содержит соответствующую надпись на поверхности). Так, на CD-R, DVD-R можно записать информацию только один раз и стереть ее нельзя. Об этом говорит буква R (от английского слова *read* — читать). Если у вас CD-RW или DVD-RW, то на него можно записывать информацию много раз (стирать и записывать снова), о чем говорят буквы RW (от английских слов *read* — читать и *write* — писать).

Что касается флешек (флеш-памяти), то они бывают различной емкости — от 128 Мбайт до 8 Гбайт. Это очень удобное устройство для хранения и переноса любой информации, причем для его подключения достаточно USB-порта, который есть в каждом современном компьютере. Представьте, что это компактный винчестер, который можно легко подключать и отключать, а записывать информацию на него нужно точно так же, как если бы вы ее записывали на компьютер, то есть без специальных программ. Это устройство получило широкое распространение из-за удобства использования, маленького размера и большой емкости.

Файлы и папки

Как правило, большинство пользователей сначала путают понятия файла и папки, не понимая, чем они отличаются. Если папку себе еще можно представить, то что такое файл, остается загадкой. Давайте разберемся.

Файл

Файл — это фрагмент информации, который хранится на диске. Это может быть текст, фотография, картинка, фильм или просто пустой лист, но обязательно СОХРАНЕННЫЙ на компьютере, то есть хранящийся на винчестере либо на другом носителе (CD, DVD или флешке).

ЗАПОМНИТЕ
ВСЯ информация на компьютере хранится в виде файлов.

Каждый файл обязательно имеет имя. Даже если вы забудете дать его созданному файлу, компьютер присвоит его автоматически.

Название каждого файла состоит из двух частей — непосредственно имени и расширения, которые разделяются точкой:

имя файла = собственное имя.расширение

Собственное имя может содержать буквы, цифры и символы. В имени файла запрещено использовать некоторые символы — это \ / : * ? " < > |.

22

Для вашего удобства все файлы в зависимости от типа информации, которая в них содержится, различаются значками. Повторюсь: это все ДЛЯ ВАС, компьютер распознает файлы по-другому.

В зависимости от типа информации, а также программы, в которой он создавался, файлы имеют разное расширение. Как правило, оно скрыто и появляется, только когда вы переименовываете файл, поэтому очень важно НЕ УДАЛЯТЬ его. Если вы случайно удалили его, то вернитесь в переименование и допишите.

ЗАПОМНИТЕ

Если вы случайно удалили расширение файла, значок автоматически изменится на вот такой 🖩, потому что компьютер не будет знать, в какой программе файл создан, и, естественно, спросит об этом у вас, если вы захотите открыть его.

Вот расширения, которые вы ДОЛЖНЫ ЗНАТЬ (для удобства я привожу такие собственные имена, которые помогут вам запомнить, какой программе соответствует какое расширение):

- Документ.docx (.doc) — текст, созданный в программе Word;

- Рисунок.jpeg (.bmp, .psd, .jpg) — любое изображение (фото или картинка);

- Программа.exe — файл с таким расширением запускает программу;

- Фильм.avi — фильм или видеоролик;

- Музыка.mp3 (.wma, .wav) — любой звуковой файл.

ЗАПОМНИТЕ

Два файла с одинаковыми именами не могут находиться в одной папке. Компьютер просто не позволит вам создать (сохранить) в папке файл с уже существующим в ней именем.

Замечу, что для компьютера файлы aaaa.doc и aaaa.jpg — разные, так как у них разное расширение.

Папка

Компьютеру безразлично, как у вас все расположено — в полнейшем порядке или хаотично, а вот пользователю гораздо удобнее среди большого количества файлов искать нужный, если он лежит в своей папке, на конкретном диске и под понятным именем.

Папка на компьютере нужна для того же, для чего она необходима в реальной жизни — для систематизированного хранения документов и удобного их поиска. На компьютере это может быть папка с работами, в которой будут храниться важные документы, или папка с фотографиями, в которой, в свою очередь, будут другие папки и т. д.

В итоге получаем: вся информация хранится в файлах, которые могут находиться в папках. Наша задача — сохранять (помещать) эти файлы в папки так, чтобы потом их было проще найти. Файлы и папки отличаются и значками — папка для удобства обозначается значком «папка».

Каждая папка имеет свое имя, но без расширения. Перед тем как создать папку, нужно придумать ей название, желательно осмысленное, чтобы по нему было понятно, что в ней находится. Важно знать, что не всякое придуманное вами имя папки понравится компьютеру. Так, НЕЛЬЗЯ использовать в имени папки символы \ / : * ? " < > | (те же, которые запрещено использовать в имени файла).

ЗАПОМНИТЕ

Запоминать, какие знаки нельзя использовать в имени, необязательно — достаточно знать, что если компьютер не принимает введенного вами имени, значит оно содержит знаки, которых быть не должно. Ввести вы их можете, но, когда попробуете

подтвердить название нажатием клавиши Enter, получите сообщение, что такое имя присвоить нельзя.
••

Папка и *каталог* — это одно и то же, но название «папка» используется чаще (наверное, потому, что человек что видит, то
и говорит, а видит он значок, изображающий желтую папку).
Термин «подкаталог» (вложенная папка) вы можете услышать,
потому что слова «подпапка» не существует. Таким образом,
папка = каталог, а *подкаталог* — это папка в папке (вложенная
папка).

ЗАПОМНИТЕ

**На одном диске (в одной папке) не может быть двух каталогов
с одинаковыми именами. Вы, конечно, можете попробовать назвать новую папку именем уже существующей здесь, но компьютер его не примет — появится соответствующее сообщение.
Каталоги с одинаковыми именами возможны, но на разных
дисках (например, компьютер не будет против папок под названием 1 на дисках C: и D:).**

Дерево папок

Как уже было сказано, все, что есть на компьютере, хранится на винчестере — жестком диске. Представляете, если на нем
обычным списком будут расположены несколько тысяч файлов?
Найти нужный будет непросто, поэтому винчестер разбит (услов-
но, конечно!) на части, которые называются *дисками*. Количество
дисков может быть разным в зависимости от объема винчестера.
Имена дискам компьютер присваивает определенным образом:
это заглавные латинские буквы, которые идут по порядку, причем некоторые из них уже зарезервированы. Изобразить это можно так.

A: — дисковод, точнее, дискета, находящаяся в нем. Дискеты
уже не используются, так как они ненадежны и вмещают малый

объем информации — всего 1,44 Мбайт, однако имя осталось зарезервированным.

B: — также имя для дискеты — на случай, если у вас два дисковода и в обоих будут дискеты.

C: — этот диск и далее — части винчестера. На диск C: принято устанавливать программы (они устанавливаются туда по умолчанию, то есть если вы не укажете другого диска, то программа попадет на диск C:).

D:

E:

F:

...

После имени диска, то есть буквы, стоит двоеточие, которое указывает компьютеру, что это имя диска; именно поэтому знак двоеточия нельзя использовать в именах файлов и папок).

Как уже говорилось, количество дисков (частей винчестера, их еще называют локальными дисками) может быть разным. Так, в примере выше их четыре (C:, D:, E:, F:). Если вы вставите DVD, то появится еще одна буква, следующая по алфавиту (для данного примера — G:) — это будет имя вашего диска, находящегося в DVD-ROM.

ЗАПОМНИТЕ

При подключении каждого нового диска (флеш-память, мобильный телефон и т. д.) будет появляться следующая по алфавиту латинская буква — имя диска.

Таким образом, изначально винчестер разбит на части — локальные диски. Затем — это личное дело пользователя — на каждом диске создаются папки, в них находятся другие каталоги и т. д., в которых содержатся файлы. Если изобразить данную структуру графически, то получится не что иное, как дерево (рис. 2).

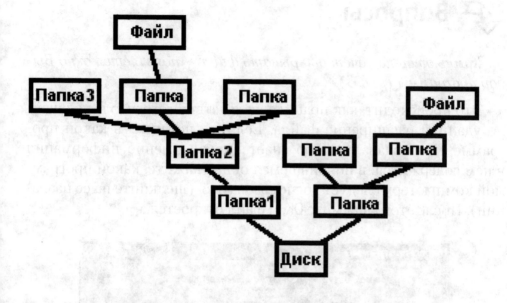

Рис. 2. Дерево папок

··

ЗАПОМНИТЕ

Такая структура называется иерархической, то есть в ней есть строгая вложенность и подчиненность. Это значит, что для перехода в Папку 3 сначала нужно обязательно зайти в Папку 1, затем — в Папку 2 и только после этого вы попадете в Папку 3.

··

Именно поэтому каждый файл, кроме имени, имеет еще и адрес, или путь, — последовательность папок, которую нужно пройти, чтобы найти данный файл. Путь может быть, например, следующим: D:\Programs\Small Progs\Media\Audio\AudioGrabber\. Когда вы указываете путь к файлу, то должны в ПРАВИЛЬНОЙ последовательности назвать все папки, которые требуется открыть, прежде чем найти файл.

↙ Вопросы

*Компьютер не хочет открывать файл — появляется окно Вы-
бор программы (рис. 3).*

Это происходит, как правило, вследствие того, что вы случайно удалили расширение файла. Если вы помните, в какой программе его создавали, либо знаете, какая именно информация
в нем содержится, в появившемся окне укажите, какой программой компьютеру следует воспользоваться (щелкните на ее названии). После этого нажмите OK, и файл откроется.

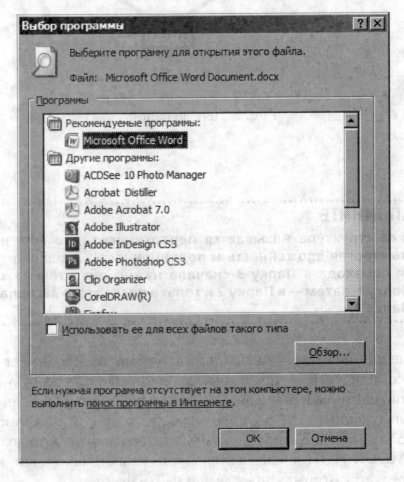

Рис. 3. Окно выбора программ

Как посмотреть, сколько места на диске занимает файл или папка?

Нужно воспользоваться пунктом **Свойства** контекстного меню: правой кнопкой мыши щелкните на значке файла (папки) и выберите пункт (выполните команду) **Свойства**. В появившемся окне на вкладке **Общие** будет указан размер файла (папки) (рис. 4).

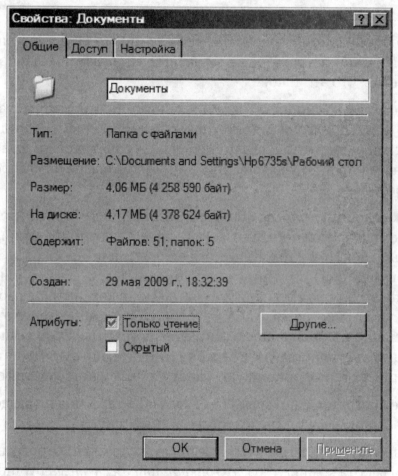

Рис. 4. Окно свойств

На этом первый этап пути вашего знакомства с компьютером завершен.

Windows и программы

Работая на компьютере или читая компьютерную литературу, вы неизбежно встретитесь с понятием «программа». Попробую объяснить, что это такое.

Программа (синоним — приложение) — это последовательность команд, алгоритм, в котором четко прописано, что делать в каждой конкретной ситуации; даже если какое-то действие не указано, будьте уверены, что в программе записано спросить об этом у вас.

У каждой программы есть свое назначение — задача, которую с ее помощью можно решить. Так, существуют приложения для работы с текстом (текстовые редакторы), для просмотра видео (проигрыватели), для записи информации на диск, даже для игры с компьютером в карты или шахматы. Все в компьютере работает посредством программ. Как уже говорилось, компьютер — это две важнейшие составляющие: техника и программы. Если вы просто соедините устройства, работать они не будут, потому что нет приложений, которые организуют работу их как единого целого.

Все программы, которые есть на компьютере, можно разделить на необходимые, полезные и бесполезные.

К необходимым относятся все приложения, без которых невозможна работа компьютера: это *операционная система* (Windows), *драйверы* (программы для адаптации подключаемого устройства к уже существующей системе), *сетевые программы* (приложения для работы в сети) и т. п.

Полезные — это программы для работы с текстом (такие как Microsoft Word), прослушивания музыки, просмотра фильмов или фотографий, создания изображений и даже для создания самих приложений. Их существование облегчает работу пользователя и открывает новые возможности.

К бесполезным можно отнести игры (согласитесь, без них можно обойтись) и вирусы.

Таким образом, на компьютере хранятся информация и программы. Без программ вы не сможете работать, а без информации работать будет не с чем.

Что такое Windows и для чего он нужен

Самая главная программа на компьютере (если быть справедливыми, то КОМПЛЕКС программ) — это *операционная система*, то есть пространство, в котором выполняются все операции, то есть ваш Windows. На самом деле, функций у операционной системы множество, и можно сказать, что ее основная функция — это работа вашего компьютера. За что еще отвечает Windows?

ЗАПОМНИТЕ

Вообще, говорить здесь Windows — не совсем верно, так как это относится и к другим операционным системам, просто Windows — самая распространенная. Однако бывает, что когда говоришь «операционная система», человек не понимает, о чем идет речь, а вот приведешь пример, то есть скажешь Windows — и все ясно.

Итак, функции операционной системы (вашей Windows):

• управление работой всех подключенных устройств (вы должны помнить, что компьютер — это, по сути, системный блок, к которому подключены как минимум монитор, клавиатура и мышь; организацией работы всего этого и занимается операционная система);

- управление обработкой и хранением информации (куда сохранять, как и т. д.);

- обеспечение диалога пользователя, то есть вас, и компьютера.

Остановимся на последней функции подробнее. Как осуществляется диалог, если машина, то есть компьютер, не умеет разговаривать? Оказывается, умеет. Когда он сомневается в правильности ваших действий или не знает, что делать в конкретной ситуации, он пишет вам сообщения, например, следующего вида (рис. 5).

Рис. 5. Сообщение с вопросом при сохранении документа

Вы, в свою очередь, должны ответить нажатием кнопки **Да**, **Нет** или **Отмена**. Это и есть ваш диалог.

ЗАПОМНИТЕ

Всегда внимательно ЧИТАЙТЕ сообщения компьютера. Если вы не уверены в правильности выполняемого действия, лучше нажмите Отмена.

Операционная система Windows (в принципе, любая ее версия — 2000, 2003, XP или Vista) уже содержит множество полезных ВСТРОЕННЫХ программ. Например, в ней уже есть **Калькулятор**, игры (всевозможные пасьянсы), проигрыватель (для просмотра видео и прослушивания аудиозаписей) и многое другое.

При изучении компьютера мы будем работать как со стандартными программами Windows, так и с другими. В частности, вам понадобится пакет программ Microsoft Office 2007 (в него входит несколько приложений; мы будем знакомиться с программой для работы с текстом — Microsoft Word 2007).

У Windows есть важная особенность, которая сделала ее такой популярной среди пользователей — удобный и понятный вид (интерфейс). Все, что мы видим, — это объекты, с которыми легко работать: их можно перемещать, открывать, закрывать и переходить от одного к другому. Главное преимущество Windows — простота для понимания, и если сейчас многое кажется вам сложным, поверьте, это не так. Все работает по одному принципу, поняв который, можно выполнять любые действия в любых программах.

Первое, чему вы должны научиться, — правильно включать и выключать компьютер.

Включаем компьютер

Внимательно посмотрите на системный блок (коробку на столе или под ним): на нем есть две кнопки — большая и маленькая. Большая предназначена для включения компьютера. Как только вы нажмете ее, начнется процесс включения (правильно говорить — загрузки).

ЗАПОМНИТЕ

Какой бы быстродействующий и новейший компьютер у вас ни был, для полной загрузки ему все равно требуется некоторое время.

После нажатия кнопки включения на системном блоке загорается лампочка и внутри начинает работать вентилятор (компьютер зашумел). Через некоторое время на экране монитора будут появляться различные изображения, как правило, информирующие вас о процессе загрузки.

В конце концов, на экране должна появиться картинка, значки и белая стрелка (указатель мыши) (рис. 6). Это означает, что компьютер готов к работе — загрузка завершена.

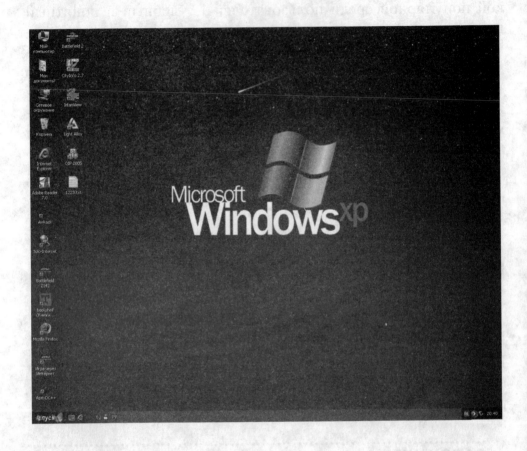

Рис. 6. Загрузка завершена — компьютер готов к работе

Вход по учетной записи (паролю)

Учетная запись предполагает ограничение возможностей того, кто работает на компьютере, а также позволяет каждому пользователю организовывать свою работу удобным для него образом (со своей заставкой, программами и т. д.).

Если вы — единоличный пользователь компьютера, то наличие пароля для входа в систему нецелесообразно. Если пользователей несколько, имеет смысл ограничить доступ к своим документам. Для этого каждый создает свою *учетную запись*, под которой он входит в Windows. Войти можно по паролю. Пока не будем вдаваться в подробности. Предположим, что вам создали такую запись и сейчас нужно просто зайти под ней, чтобы начать работу. Итак, кнопка на системном блоке нажата, на экране появляется следующее изображение (рис. 7).

Рис. 7. Учетные записи

В данном примере учетных записей две — Admin и Пользователь. Наша запись — Пользователь.

Положив руку на мышь, подвигайте ей. Вы увидите, что передвижение мыши по столу отображается перемещением белой стрелки на экране. Подведите эту стрелку (указатель мыши) к имени Пользователь — она должна принять вид руки. Это значит, что сюда можно нажать. Нажмите левую кнопку мыши.

Открылось поле для ввода пароля (белая область) (рис. 8). Пароль знаете только вы, поэтому вводите его, внимательно глядя на клавиатуру. После этого ОБЯЗАТЕЛЬНО нажмите кнопку с изображением стрелки, расположенную справа от поля ввода пароля, или клавишу Enter ◄┘ на клавиатуре.

Рис. 8. Поле ввода пароля

Через некоторое время загрузка компьютера завершится.

☞ Вопросы

Прошло довольно много времени, а экран так и остался черным. В чем проблема?

В этой ситуации, в первую очередь, нужно проверить, включен ли монитор. Об этом говорит лампочка, горящая, как правило, в правом нижнем углу монитора. Если она не горит, значит монитор выключен. Чтобы сейчас его включить, выключать системный блок не нужно! Поищите кнопку на корпусе монитора — при ее нажатии упомянутая лампочка загорится, а на экране появится долгожданное изображение.

Компьютер уже включен, до этого на нем работал другой пользователь. Как зайти под своей учетной записью?

Выполните следующую последовательность действий: наведите указатель мыши (белую стрелку) на кнопку Пуск (левый нижний угол экрана) и нажмите ее. Из появившегося списка выберите пункт Выход из системы (щелкните на нем кнопкой мыши). Появится следующее окно (рис. 9).

Рис. 9. Окно выхода из системы

В этом окне с помощью мыши нужно нажать кнопку Смена пользователя. После этого следует выполнить все то, что описано в этом разделе.

37

На экране вместо белой стрелки изображение песочных часов .

Это компьютер сообщает, что нужно подождать — он еще не загрузился. Через некоторое время песочные часы исчезнут и появится белая стрелка. Только теперь можно приступать к работе.

Рабочий стол

После загрузки компьютера на экране появляется Рабочий стол (рис. 10). Название должно вызвать у вас ассоциацию с реальным столом, за которым вы привыкли работать. На Рабочем столе компьютера, как и в жизни, размещаются документы, папки и программы. Как уже было сказано, все, что вы видите, состоит из отдельных объектов. Рабочий стол не является исключением — у него есть стандартные составляющие. Рассмотрим их.

Рис. 10. Рабочий стол Windows

В самом низу вы видите полосу. Правильно она называется **Панель задач**. На ней отображаются все программы, с которыми вы работаете в данный момент. На **Панели задач** есть также другие элементы. В левом нижнем углу экрана находится кнопка **Пуск**. Если вы наведете на эту кнопку указатель мыши, появится подсказка (она называется *всплывающей*) **Начните работу с нажатия этой кнопки**. Она сообщает, что если вы не знаете, где находятся нужные вам программы, то их всегда можно найти в меню (списке), появляющемся при нажатии этой кнопки.

ЗАПОМНИТЕ

В Windows есть всплывающие подсказки, которые помогают разобраться, для чего предназначен данный объект. Такая подсказка появится, если вы наведете указатель мыши на интересующий вас объект и подождете несколько секунд, ничего при этом НЕ НАЖИМАЯ! Как только вы начнете двигать мышью, подсказка исчезнет.

В правом нижнем углу расположен *индикатор языка* — кнопка с надписью RU (русский язык) либо EN (английский язык). Он показывает, какой язык в данный момент является активным (буквы какого алфавита появятся, если вы начнете нажимать клавиши на клавиатуре). Далее находится *панель дата/время* или, проще говоря, часы. Время вы можете увидеть сразу, а чтобы появилась дата, необходимо подвести указатель мыши к часам, и в качестве всплывающей подсказки отобразится дата. Проверьте!

Большую часть экрана занимает основная область **Рабочего стола**, «украшенная» какой-либо картинкой (фоном или, как еще говорят, *обоями*). В этой области располагаются различные объекты (значки), которые можно перемещать по экрану, а также удалять или создавать новые.

Как уже было сказано, **Рабочий стол** — это ваше личное пространство, поэтому важно, чтобы вам в нем было удобно. Как это ни удивительно, но на нем вы можете изменить (настроить под себя) практически все! Возможно, сейчас, когда вы только начинаете осваивать компьютер, многие из предлагаемых настроек покажутся вам ненужными, но поверьте, в будущем они вам обязательно пригодятся. Рекомендую вам, изучая все главы, сразу проверять описанное на практике — так вы привыкнете к компьютеру, освоите принципы работы и усовершенствуете навыки работы с мышью.

Что такое меню

При работе на компьютере вы часто будете встречаться с понятием меню.

Меню — это отображающийся списком набор команд, которые вы можете выполнить. У каждого объекта этот набор свой, но часто в нем будут уже знакомые команды. Чтобы увидеть пример такого меню, левой кнопкой мыши щелкните на кнопке Пуск — вы увидите целый список (рис. 11).

Рис. 11. Меню Пуск

Обратите внимание, что рядом с некоторыми пунктами меню справа есть стрелка. Она говорит о том, что в данном пункте меню есть варианты (или *подменю*), и если вы подведете указатель мыши к такому пункту, появится еще одно меню. Здесь важно помнить, что для перехода к списку команд, находящемуся в данном пункте меню, нужно двигать мышь В НАПРАВЛЕНИИ, указанном стрелкой.

Чтобы убрать появившееся меню, достаточно щелкнуть в любой СВОБОДНОЙ области экрана, но самый лучший способ — нажать клавишу Esc в левом верхнем углу клавиатуры.

Существуют также два основных вида меню.

Главное меню — его мы только что рассмотрели.

ЗАПОМНИТЕ

Все программы, которые есть на компьютере (еще говорят «установлены на компьютере»), следует искать именно в Главном меню, в пункте Все программы.

Контекстное меню — это меню, которое появляется при щелчке ПРАВОЙ кнопкой мыши НА ОБЪЕКТЕ. Это список команд, применимых к конкретному объекту (папке или файлу).

Контекстное меню есть, например, и у свободной области Рабочего стола: щелкнув правой кнопкой мыши в свободной области (не на значке!), вы откроете список команд:

* Упорядочить значки;

* Обновить;

* Вставить;

* Вставить ярлык;

* Создать;

* Свойства.

41

ЗАПОМНИТЕ

Некоторые команды в меню могут быть более тусклыми, «не гореть». Это значит, что в данный момент вы не можете выполнить их. Почему? Потому что если, например, если вы ничего не скопировали, то что можно вставить? Вот в таком случае команда Вставить «гореть» не будет.

Все команды, необходимые для выполнения какой-либо операции, удобно записывать в следующем виде: Пуск ▸ Все программы ▸ Microsoft Office ▸ Microsoft Office Word 2003. В дальнейшем мы будем пользоваться подобной записью.

УПРАЖНЕНИЕ

Попробуйте открыть программу Калькулятор.

Для этого выполните следующую команду: Пуск ▸ Все программы ▸ Стандартные ▸ Калькулятор (рис. 12).

Рис. 12. Откройте программу Калькулятор

ПОДСКАЗКА

Чтобы появилось меню, сначала нужно нажать кнопку Пуск, а затем — просто следовать по стрелкам, ничего не нажимая. Когда вы дойдете до пункта Калькулятор, щелкните кнопкой мыши один раз, и на экране появится Калькулятор.

Способы выполнения действий

В этой книге вам будет предложено несколько способов выполнения того или иного действия. Самый первый — самый простой, по мнению автора, для начинающего пользователя. Все способы можно разделить на следующие группы.

• *С использованием специальных инструментов (значков).* Это способ хорош тем, что у значка есть всплывающая подсказка, позволяющая не запоминать, для чего он нужен — это всегда можно подсмотреть. Однако не все инструменты вынесены, поэтому важно знать другой, альтернативный способ выполнения действия.

• *С помощью контекстного меню (правой кнопки мыши).* Не рекомендую вам в самом начале изучения пользоваться этим способом, потому что в каждом случае нужно помнить, в какой области нажимать правую кнопку — в свободной или на выделенном объекте. С другой стороны, можно одной рукой выполнять все действия. Этот способ — универсальный: вы можете пользоваться им при работе в любой программе и с самыми различными объектами. В этом его главное достоинство.

• *С использованием комбинации клавиш.* Этот способ тоже имеет преимущества: так, научившись работать на клавиатуре не одним пальцем, а всеми десятью, удобнее выполнить действие посредством комбинации клавиш клавиатуры, потому что обе руки заняты клавиатурой и не приходится постоянно браться за мышь. Как и использование контекстного меню (оно вызывается щелчком правой кнопкой мыши), сочетания клавиш универсальны (одни и те же команды выполняют аналогичные действия во ВСЕХ программах).

• *С помощью команд меню.* В каждой программе в самом верху есть меню (команды сгруппированы, чтобы вам было легче их найти): Файл, Правка, Вид и т. д. Зайдя в конкретное меню, в нем можно выполнить необходимую команду. Однако здесь есть недостаток — не всегда запомнишь, в какое меню зайти, чтобы найти нужную операцию, поэтому сразу совет — не бойтесь искать: зашли в один пункт меню, поискали (поводили мышью), если не нашли — вышли и зашли в другое меню. В этом случае, как и при пользовании контекстным меню, плюсом является свободная вторая рука.

Помните: если вы по какой-то причине не можете выполнить действие одним способом, всегда можно воспользоваться другим. На начальном этапе не ленитесь заглядывать в книгу.

Переключение языка

Хорошим примером для иллюстрации нескольких способов выполнения одной операции является переключение языка.

Посмотрите внимательно на экран: индикатор активного в данный момент языка находится в правом нижнем углу. Существует два способа смены языка, и вы должны знать оба.

Способ 1: с помощью мыши. Этот способ используют в начале обучения работе на компьютере как самый простой: левой кнопкой мыши щелкаете на индикаторе языка — появляется список языков (флажком (галочкой) отмечен тот, который в данный момент является активным), подводите указатель к языку, который вам нужен, и нажимаете левую кнопку мыши еще раз. На индикаторе должен отобразиться другой язык.

Способ 2: с использованием сочетания клавиш. Сложность заключается в том, что нужно научиться нажимать две клавиши одновременно.

ЗАПОМНИТЕ

Одну клавишу нажимаете и удерживаете, а другую — нажимаете и отпускаете. После этого можно отпустить удерживаемую клавишу. Не нужно пытаться нажать две клавиши одновременно!

Есть две возможные комбинации клавиш — Ctrl+Shift и Alt+Shift. Проверьте обе (нажимаете сочетание и смотрите на индикатор). Одна из них точно будет менять язык. Зачем две комбинации, притом что одна из них не работает? Дело в удобстве и привычке. Если вы никогда раньше не работали на ПК и данным компьютером пользуетесь только вы, то решите, какую комбинацию вам удобнее нажимать, а затем зафиксируйте ее. Если вы не единственный, кто работает на компьютере, разумнее сразу привыкнуть к установленной комбинации, иначе каждому пользователю придется постоянно раз менять ее на более привычную.

В дальнейшем для переключения языка старайтесь использовать комбинации клавиш.

Работа с мышью

Не удивляйтесь, но довольно часто люди не знают, как правильно мышь должна лежать в руке, а потому у них быстро устает кисть и снижается эффективность работы. Как правильно держать мышь? Положите на нее кисть, расслабив руку. Ваш указательный палец должен свободно лежать на левой кнопке мыши, средний — на правой, а все остальные пальцы — располагаться по бокам. При этом ваше предплечье не должно быть напряжено и висеть в воздухе.

Возможные ошибки — следующие.

- *Указательный и средний пальцы висят в воздухе.* Это происходит потому, что вы боитесь случайно нажать кнопку. Положив правильно кисть, нажатием кнопок убедитесь, что вы хорошо чувствуете, когда кнопка нажимается, поэтому не стоит напрягать руку. Ваши пальцы должны свободно лежать на мыши.

- *Перед нажатием кнопки вы смотрите на мышь, чтобы убедиться, что нажимаете нужную кнопку.* Как уже было сказано, само нажатие хорошо чувствуется, поэтому все ваше внимание должно быть обращено на экран монитора. Привыкайте смотреть на экран, а не на мышь — ее вы должны чувствовать.

- *Перемещая мышь по коврику, вы делаете это несколькими пальцами, а не всей кистью.* Это изначально неправильное положение кисти — так работать с мышью вам будет очень сложно. Мышь отличается высокой чувствительностью, поэтому, когда вы захотите нажать кнопку, придется посмотреть на мышь, и вы, скорее всего, немного сдвинете ее указатель, после чего действие не выполнится либо произойдет не то, что нужно.

ЗАПОМНИТЕ

При длительной работе на компьютере кисть устает, поэтому обычного коврика и удобного стола недостаточно. Сегодня существуют специальные коврики с подушкой (поролоновой или силиконовой), которые позволяют руке отдыхать, когда вы работаете на компьютере. Очень удобно и полезно!

Учимся управлять мышью

Каждая мышь имеет две кнопки (правую и левую) и, как правило, колесико (скролл) посередине. Операций, выполняемых с помощью кнопок, немного.

- *Щелчок* (нажатие) — так мы будем называть простое нажатие (нажимаем и отпускаем кнопку). Это действие выполняется как левой, так и правой кнопкой, в зависимости от ситуации. С помощью щелчка вы выбираете объект или указываете место, как если бы вы указали его пальцем.

- *Двойной щелчок* (двойное нажатие) — это два нажатия, произведенных с МИНИМАЛЬНЫМ интервалом. Выполняется только левой кнопкой мыши. Используется для открытия документов и папок, а также запуска программ. Сразу отмечу, что для новичков это непростая операция, поэтому сначала придется потренироваться, чтобы она хорошо получалась, а также рекомендую запомнить альтернативное действие, заменяющее двойной щелчок.

- *Удержание* — держите нажатой кнопку мыши. Используется, как правило, для левой кнопки, когда вы хотите перенести (переместить, перетащить) какой-либо объект.

Колесико (скролл) нужно для удобного просмотра больших документов и списков. Просматривая их, следует прокручивать колесико указательным пальцем, при этом не меняя положения среднего пальца (он находится на правой кнопке мыши).

Как вы видите, чаще всего операции выполняются указательным пальцем и с помощью левой кнопки мыши, поэтому договоримся здесь и далее, что под словом «нажимаем» будет подразумеваться нажатие именно ЛЕВОЙ кнопки мыши. В случае если речь будет идти о правой кнопке, будем говорить «правая кнопка мыши».

Отдельного пояснения требует действие «двойной щелчок». Не переживайте, если у вас не получается выполнить двойное нажатие с таким промежутком времени, чтобы компьютер его принял за двойной щелчок. Для этого действия нужна ПРАКТИКА! Даже у опытного пользователя может не получиться двойной щелчок, особенно если он взял в руки чужую мышь. Если у вас не получается щелчок, нужно сделать следующее.

Во-первых, настроить мышь (см. соответствующую главу). Это позволит вам сделать промежуток времени между щелчками больше. Во-вторых, запомните другие действия, которые заменяют двойной щелчок.

Способ 1: сначала нажать левую кнопку мыши один раз, а затем — клавишу Enter. Рекомендую вам это способ.

Способ 2: щелкнуть правой кнопкой мыши НА ОБЪЕКТЕ и в появившемся меню выполнить команду Открыть.

В-третьих, ТРЕНИРУЙТЕСЬ! Пробуйте открыть папку или запустить программу с помощью ярлыка двойным щелчком. Получилось — закройте и попробуйте выполнить действие еще раз.

Выключение компьютера

Когда вы закончили работу на компьютере, важно правильно его выключить.

....

ЗАПОМНИТЕ

Для выключения компьютера неправильно нажимать большую кнопку на системном блоке (с помощью которой включали компьютер).

....

По завершении работы нужно «навести порядок» на Рабочем столе — ЗАКРЫТЬ все открытые программы, и только затем можно выключать компьютер. Для этого предназначена команда: Пуск ▸ Выключение. При ее выполнении появляется следующее окно (рис. 13).

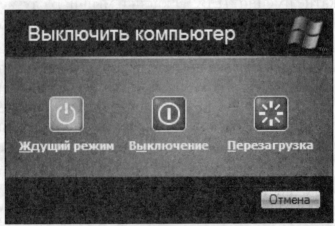

Рис. 13. Окно выключения компьютера

В нем следует нажать кнопку Выключение.

ЗАПОМНИТЕ

**Выключение компьютера (как и загрузка (включение)) занима-
ет некоторое время.**

Ваша задача — дождаться, пока погаснет экран и пропадет шум кулера. Только после этого можно вытащить шнур из розетки.

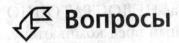 Вопросы

*Как выключить компьютер, если клавиатура и мышь не рабо-
тают?*

Если компьютер сломался — ничего не работает, а выключить его необходимо, поступите следующим образом: нажмите большую кнопку на системном блоке (которую обычно нажимают для включения) и удерживайте ее, пока компьютер не выключится. Пользоваться этим способом следует только в самых крайних случаях, когда другого выхода нет.

Отмена действия

При работе на компьютере могут происходить непонятные вам вещи:

- на экране что-то появилось, и вы не знаете, что это;
- вы случайно нажали что-то, но не знаете, что;
- вы выполнили форматирование (например, изменили размер букв и цвет), а результат вам не понравился (при работе с Microsoft Word);
- вы вырезали не то, что нужно;

- вы случайно удалили не тот объект (файл, папку или часть текста);

- вы вставили объект (папку, файл или фрагмент текста) не в то место.

Многие начинающие пользователи боятся учиться на компьютере в одиночку — мол, сделаю что-то не так, испорчу, сломаю и т. п.

Конечно, как правило, причиной всего происходящего являетесь именно ВЫ, но не стоит волноваться — сделанное ВСЕГДА можно исправить. Помните: у вас НЕДОСТАТОЧНО знаний и умений, чтобы нанести серьезный вред компьютеру. Не стоит также забывать, что вы УЧИТЕСЬ, поэтому ошибки неизбежны.

ЗАПОМНИТЕ

Если вы совершаете какое-то серьезное действие, например удаление, компьютер ОБЯЗАТЕЛЬНО спросит, уверены ли вы в этом, и у вас будут варианты ответа — OK (Да, я уверен(а)) и Отмена (Нет, я передумал(а)). Всегда можно нажать Отмена, если вы сомневаетесь!

Каждую выполненную операцию можно отменить. Если с вами произошла одна из вышеописанных неприятных ситуаций, НЕЗАВИСИМО ОТ ПРОГРАММЫ, в которой вы работаете, стоит испробовать следующие способы отмены.

Способ 1: нажать клавишу Esc.

Способ 2: использовать комбинацию клавиш Ctrl+Z *(универсальный способ; удерживайте* Ctrl *и нажмите* Z*).*

Способ 3: выполнить команду Правка ▸ Отменить *(если есть меню* Правка*).*

Способ 4: нажать кнопку *ОДИН РАЗ (если таковая есть на панели инструментов (в верхней строке программы)).*

Важно знать, что этими командами нужно пользоваться, КАК ТОЛЬКО что-то произошло, а не когда прошло некоторое время, за которое вы успели выполнить другие операции. Эти команды отменяют ПОСЛЕДНЕЕ выполненное действие.

ЗАПОМНИТЕ

Выполнение этих команд несколько раз (нажатие указанных клавиш несколько раз) отменяет последовательность выполненных вами команд, то есть если требуется отменить два последних действия, то воспользуйтесь одним из способов два раза. Если вы хотите отменить последние 20 команд, то, увы, это невозможно. Такое большое количество команд компьютер не отменит.

Структура окна

Любая программа, с которой вы работаете в Windows, появляется на экране в виде окна, или диалога (в данном случае это одно и то же). Между прочим, слово *windows* переводится с английского языка именно как «окна».

Окно программы имеет стандартную структуру, и большинство команд меню и кнопок в них одни и те же. В виде диалогов появляются также сообщения, которые вы получаете от компьютера в случаях, когда он не знает, что делать, или сообщает о выполненном или выполняемом действии (в этом случае, как правило, нужно просто нажать ОК).

Есть окна достаточно простой структуры. Рассмотрим их на примере диалога Свойства панели задач и меню «Пуск» (рис. 14).

51

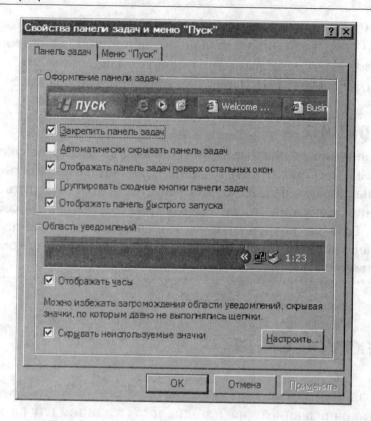

Рис. 14. Диалог Свойства Панели задач и меню «Пуск»

Элементы этого окна — следующие.

- *Заголовок окна* — находится в самом верху окна (в данном примере это Свойства панели задач и меню «Пуск»).

- *Вкладки* — в нашем примере вкладок две: Панель задач и Меню «Пуск». На иллюстрации открыта вкладка Панель задач. Чтобы перейти на другую вкладку, нужно щелкнуть кнопкой мыши на ее названии. Вкладки всегда размещаются вверху. Окна такого вида можно сравнить с буклетом, где каждая отдельная вкладка — это страница.

- В основной части находятся *области* (в данном окне это Оформление панели задач и Область уведомлений) со списком вариантов; для выбора нужно поставить *флажок* (галочку) в маленьком белом окне.

52

- *Кнопка с изображением крестика* в правом верхнем углу предназначена для закрытия диалога.

- В самом низу расположены кнопки OK, Отмена и Применить. Обратите внимание, что кнопка Применить не активна (бледнее других) — это означает, что нажать ее невозможно: применять сейчас нечего, так как пользователь еще не выбрал новых действий).

Вот пример другого диалога — окна программы (рис. 15).

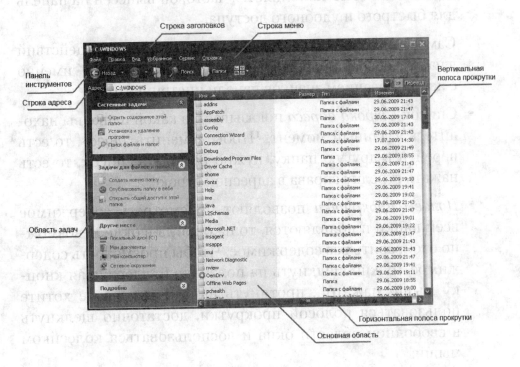

Рис. 15. Окно программы

Рассмотрим его элементы.

- Верхняя строка — *Строка заголовков* — как правило, содержит название открытой программы и имя открытого в ней файла.

- *Строка меню* включает пункты меню (Файл, Правка, Вид, Избранное и т. д. — пункты меню программы из примера выше), в которых содержатся команды, выполняемые с помощью данной программы. Большинство пунктов меню в различных программах одинаково.

- *Панель инструментов* — это строка, на которой размещены значки (инструменты), нажатие которых позволяет выполнять определенные операции, как правило, наиболее часто используемые в данной программе. Каждому такому инструменту соответствует пункт меню, но в силу того, что данное действие выполняется часто, он вынесен на панель для быстрого и удобного доступа.

  Самый простой способ выполнения различных действий в начале освоения программы, по мнению автора, — именно с использованием значков панели инструментов.

- Список *Строка адреса* показывает, в какой папке вы находитесь в данный момент. Чтобы «сменить адрес», то есть перейти в другую папку, нужно раскрыть список, то есть нажать стрелку справа в адресной строке.

- *Полосы прокрутки* позволяют просмотреть содержимое всей папки и появляются, только когда в окне невозможно отобразить все содержимое. Чтобы просмотреть содержимое, нужно щелкнуть на ползунке и, удерживая кнопку мыши нажатой, протянуть вниз. Если вы не хотите пользоваться полосой прокрутки, достаточно щелкнуть в свободной области окна и воспользоваться колесиком мыши.

- *Область задач* — это часть окна, в которой в зависимости от того, в какой папке вы находитесь и что выделено в данный момент, отображаются различные действия. Пользоваться ей очень удобно. Если в вашем окне ее нет, ее можно добавить в окне Свойства папки (рис. 16), выполнив команду меню Сервис ▸ Свойства папки, на вкладке Общие щелчком установить переключатель Задачи в положение Отображение списка типичных задач в папках и нажать ОК.

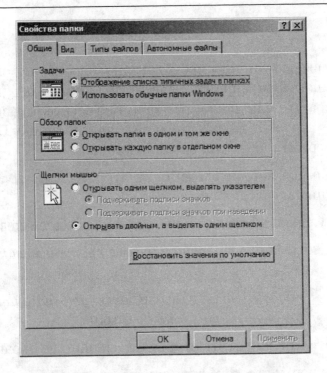

Рис. 16. Окно Свойства папки

Еще есть кнопки, которые вы должны запомнить. Они находятся в правом верхнем углу практически любого окна программы (табл. 1).

Таблица 1. Кнопки окна программы

Кнопка	Действие
☒	Закрыть. Нажатие позволяет закрыть окно. Когда вы закончили работать с программой, ее нужно закрыть — нажать эту кнопку
⧉	Свернуть (Развернуть) окно. Состояние окна может быть во весь экран или компактным. Компактный вид позволяет перемещать его по экрану и видеть несколько окон одновременно. Данная кнопка работает только в двух режимах, и чтобы вернуться, например, к развернутому состоянию, нужно нажать ее еще раз. Повторное нажатие сделает окно компактным
▬	Свернуть. Убирает окно с экрана, но не закрывает его, а сворачивает — помещает на Панель задач (самая нижняя строка) в виде значка. Чтобы развернуть такое окно, нужно щелкнуть на его значке на Панели задач внизу экрана. Повторное нажатие значка опять свернет окно

Каждое окно можно перемещать на экране, а также изменять его размер.

Перемещение окна

Чтобы вы могли переместить окно на экране, оно должно иметь компактный вид, то есть не должно быть «приклеено» к краям экрана. Если диалог развернут во весь экран, значит нужно придать ему этот компактный вид, нажав кнопку Свернуть окно в правом верхнем углу (это средняя кнопка).

Для примера перемещения окна откроем Корзину. Это можно сделать одним из следующих способов.

Способ 1: двойной щелчок на ее значке на Рабочем столе.

Способ 2: щелкнуть на значке Корзина *кнопкой мыши и нажать* Enter.

Способ 3: правой кнопкой мыши щелкнуть на значке и в появившемся меню выполнить команду Открыть.

Попробуем переместить открывшееся окно по экрану.

В самом верху каждого диалога есть полоса, на которой написано имя окна, с которым вы работаете в данный момент. Сейчас у вас там написано Корзина.

Подведите указатель мыши к этой полосе, нажмите кнопку мыши и, не отпуская, попробуйте переместить окно на экране. Надеюсь, у вас получилось.

ЗАПОМНИТЕ

Если окно развернуто на весь экран, переместить его таким образом НЕЛЬЗЯ!

Изменение размеров окна

Иногда возникает необходимость работать с несколькими диалогами одновременно, причем каждое окно должно быть перед глазами, поэтому важно уметь менять размер окна. Делается это очень просто.

Для начала нужно, чтобы окно имело компактный вид. Если вы подведете указатель мыши к самому краю окна, указатель примет вид двунаправленной стрелки (вправо-влево, если вы подвели его к левому или правому краю, и вверх-вниз — если к верхнему либо нижнему) (рис. 17). Когда указатель мыши изменит вид, нажмите левую кнопку мыши и, удерживая ее, тяните границу окна в направлениях, указанных стрелками.

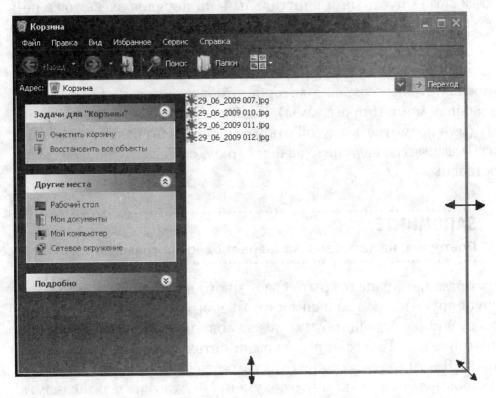

Рис. 17. Изменение размеров окна

ЗАПОМНИТЕ

Можно также подводить указатель мыши К ЛЮБОМУ УГЛУ окна — тогда его размер можно менять в нескольких направлениях одновременно.

Переключение между окнами

Часто приходится работать сразу с несколькими программами, причем окна некоторых из них необходимо развернуть на весь экран. Как тогда перейти от одного окна к другому?

Во-первых, если вы больше не будете работать с какой-то программой, лучше закрыть ее окно. Не нужно захламлять свой **Рабочий стол** — пусть он и виртуальный, но порядок здесь тоже необходим.

Во-вторых, если без нескольких приложений не обойтись, то для перехода нужно использовать **Панель задач** (помните — это нижняя строка экрана, в которой отображаются ВСЕ открытые в данный момент программы). Чтобы перейти в другую программу (или посмотреть другой открытый документ), найдите ее имя на **Панели задач** и щелкните на нем — окно отобразится поверх всех остальных.

ЗАПОМНИТЕ
Повторное нажатие значка свернет окно программы.

Когда на экране открыто сразу много документов, компьютер группирует их — в зависимости от программы, которая с ними работает: фотографии будут лежать одной «стопкой», тексты — другой и т. д. Так, если вы открыли пять текстовых документов, то на **Панели задач** все они будут отображаться одним значком, и чтобы перейти к какому-то документу, нужно сначала щелкнуть на их общем значке (появится список), а затем щелчком выбрать нужный документ.

ЗАПОМНИТЕ
Закрывать окна можно не только с помощью кнопки с крестиком в правом верхнем углу. Если у вас открыто много окон, можете щелкнуть правой кнопкой мыши на имени открытого окна на Панели задач внизу экрана и выполнить команду Закрыть.

УПРАЖНЕНИЕ

Выполните следующие действия.

1. Откройте два окна — **Мой компьютер** и **Мои документы**.

2. Разместите их таким образом, чтобы оба отображались на экране, не закрывая друг друга.

3. Восстановите полноэкранный размер каждого окна.

4. Перейдите из одного диалога в другой и обратно.

5. Сверните оба окна.

6. Закройте все диалоги.

 ## ПОДСКАЗКА

1. Открывайте двойным щелчком или одинарным щелчком и затем нажатием Enter.

2. Сделайте одно окно компактным, затем измените размер и переместите его по экрану. Второе — аналогично.

3. Нажмите среднюю кнопку в правом верхнем углу каждого окна (▢).

4. Внимательно посмотрите на Панель задач — там диалоги отображены значками. Щелкая на таком значке, попробуйте перейти из одного окна в другое.

5. Нажмите первую кнопку в правом верхнем углу окна (▬).

6. Окна свернуты, поэтому щелкните на значке окна правой кнопкой мыши и выполните команду Закрыть (сначала на одном, затем — на другом окне).

 # Вопросы

Как закрыть несколько документов одновременно?

Если у вас открыто много документов, то на Панели задач внизу экрана они отображаются группой (стопкой), на которой нужно щелкнуть, чтобы отобразились все находящиеся в ней документы. Чтобы закрыть их все сразу, щелкните на группе правой кнопкой мыши и выполните команду Закрыть группу. Если какие-то документы из этой группы не были сохранены, то прежде чем их закрыть, компьютер выдаст соответствующее сообщение и спросит, сохранять ли изменения.

Как свернуть сразу все открытые окна?

Для этого существуют специальный инструмент, значок которого 🗗 расположен справа от кнопки Пуск. Если вы наведете на него указатель мыши, появится всплывающая подсказка Свернуть все окна. Повторный щелчок на этом значке восстановит все открытые окна на Рабочем столе.

Действия над объектами Рабочего стола

Изначально на Рабочем столе есть стандартные значки — Корзина, Мой компьютер, Мои документы и др. Каждый такой значок — это ссылка на определенную программу или специальную папку (разработчики уже подумали, что вам может понадобиться при работе на компьютере). Из названий значков ясно, для чего они предназначены:

- Корзина — это папка для хранения ненужных (удаленных) объектов;

- Мои документы — каталог для хранения ваших документов (на самом деле, хранить их здесь необязательно — можете сохранять свои файлы куда угодно);

- Мой компьютер — программа для работы с файлами и папками.

Кроме стандартных значков пользователь может создавать собственные объекты на Рабочем столе — файлы, папки и ярлыки, чтобы они всегда были под рукой. Однако не переусердствуйте и выносите на Рабочий стол только то, что вам действительно необходимо, все остальное пусть хранится в другом месте, главное — не забудьте, в каком.

Упорядочивание значков

Необязательно, чтобы все значки Рабочего стола располагались слева в несколько столбиков. Вы можете разместить их так, как вам удобно, например, по группам (слева — стандартные значки, вверху — ярлыки файлов и папок, а справа — ярлыки для игр).

Чтобы разместить объекты Рабочего стола в произвольном порядке, нужно сначала проверить, не закреплены ли они на своих местах. Для этого щелкните правой кнопкой мыши на свободной области Рабочего стола и выполните команду Упорядочить значки. В появившемся меню флажками (галочками или точками) отмечены те, которые в данный момент включены. Если флажок установлен на команде автоматически, значит вы не сможете переместить ни один объект, следовательно, этот параметр нужно отключить — щелкнуть на нем еще раз. Если флажка нет, то из меню нужно выйти (щелкнуть на свободном пространстве Рабочего стола).

Теперь можно приступать к размещению всех значков так, как вам удобно. Чтобы переместить значок, щелкните на нем и, не отпуская кнопки мыши, перетащите в другую область Рабочего стола.

УПРАЖНЕНИЕ

Переместите все значки Рабочего стола вправо (можете выложить ими какую-то фигуру).

....

ЗАПОМНИТЕ

Быстро вернуть значки на исходное место можно автоматически: правой кнопкой мыши щелкните на свободной области Рабочего стола и выполните команду Упорядочить значки ▸ автоматически.

....

Создание папки на Рабочем столе

Создать папку на Рабочем столе можно следующим образом: нажмите правую кнопку мыши в свободной области Рабочего стола и в контекстном меню выполните команду Создать ▸ Папку.

Появится изображение папки с названием Новая папка, причем это имя будет выделено и в его конце будет мигать курсор (вертикальная черта), предлагая вам ввести название каталога. Ваша задача — не нажимая ничего лишнего, ввести имя (перед этим проверив, какой язык установлен). После того как вы напечатали имя папки, подтвердите его нажатием Enter на клавиатуре.

Если вы случайно щелкнули кнопкой мыши и имя папки сохранилось как Новая папка, ее нужно просто переименовать.

Переименование файла (папки, ярлыка)

Переименование папки (файла или ярлыка) можно выполнить несколькими способами.

Способ 1: правой кнопкой мыши щелкните на значке папки (файла) и в появившемся меню выполните команду Переименовать. Как только вы начнете набирать новое имя, старое удалится — введите новое и нажмите Enter.

Способ 2: наведите указатель мыши на имя папки и дважды МЕДЛЕННО щелкните на нем. После этого введите новое имя и нажмите Enter.

Удаление папки (файла, ярлыка)

Удалить какой-либо объект с Рабочего стола можно одним из следующих способов.

Способ 1: выделите объект (щелкните на нем) и на клавиатуре нажмите Delete.

Способ 2: щелкните на объекте правой кнопкой мыши и выполните команду Удалить.

При удалении объекта таким образом он не исчезает из памяти компьютера, а сначала попадает в Корзину.

....

ЗАПОМНИТЕ

Если вы удалили объект, его можно вернуть на прежнее место, восстановив из Корзины .
....

Быстрый запуск программ

При работе на одном и том же компьютере, выполняя часто те или иные действия, пользуясь одними и теми же программами, можно сделать так, чтобы необходимые для работы приложения всегда были под рукой. Для этого существуют ярлыки.

Ярлык — это ссылка на какой-либо объект (файл, папку). Представьте, что у вас есть большая и толстая книга, а в ней — страница, к которой приходится часто обращаться. Что вы делаете в подобном случае? Правильно — закладку. Так вот, ярлык — это закладка, позволяющая быстро запускать программу или открывать документ.

Ярлыки на Рабочем столе легко распознать — в правом нижнем углу у них есть небольшая черная стрелка: .

ЗАПОМНИТЕ

При удалении ярлыка объект, к которому он привязан, остается, вы ведь удаляете закладку, а не книгу. Если объект, для которого создан ярлык, был перемещен или удален, ссылка (ярлык) не будет работать, о чем компьютер сообщит вам.

Ярлыки чаще всего создаются на Рабочем столе. Описанная ниже схема позволяет создать ссылку для ЛЮБОГО объекта.

1. Правой кнопкой мыши щелкните на файле (или папке), для которого нужно создать ярлык.

2. Выполните команду Отправить ▶ Рабочий стол (создать ярлык).

Теперь, чтобы открыть данный файл (папку), не заходя в Мой компьютер, достаточно дважды щелкнуть на ярлыке.

Ярлыки можно переименовывать и удалять. Алгоритм тот же, что и при переименовании и удалении файла или папки.

ЗАПОМНИТЕ

При щелчке на объекте правой кнопкой мыши появляется также команда Создать ярлык. Отмечу, что при ее выполнении ярлык будет создан там же, где находится сам объект, и смысл закладки теряется. В этом случае вам придется самостоятельно перенести ярлык на Рабочий стол, а при выполнении команды Отправить ▶ Рабочий стол (создать ярлык) ярлык будет создан там, где требуется — на Рабочем столе.

ПРИМЕР

Создадим ярлык для программы Калькулятор. Сначала необходимо увидеть команду, которая запускает эту программу, то есть выполнить команду Пуск ▶ Все программы ▶ Стандартные. В меню Стандартные найдите Калькулятор. Сейчас можно воспользоваться схемой создания ярлыка: щелкните на пункте Калькулятор правой кнопкой мыши и выполните команду Отправить ▶ Рабочий стол (создать ярлык). Теперь ищите его на Рабочем столе. Внимание! Если у вас открыты какие-либо другие программы, их нужно свернуть, иначе вы не увидите ярлыка, так как он будет спрятан под другими окнами.

Проверьте, как работает ярлык. Это можно выполнить с помощью двойного щелчка на значке или любым другим способом, его заменяющим. Если действие удалось, окно программы Калькулятор появится на экране.

Если вы не будете пользоваться этим приложением, ярлык лучше удалить (выделить и нажать Delete). Проверьте — сама программа при этом останется на прежнем месте.

УПРАЖНЕНИЕ

Создайте на Рабочем столе папку с именем 1.

Создайте в каталоге 1 вложенную Папку 2.

Переименуйте каталог 1 в Моя папка.

Создайте ярлык для Папки 2.

Переименуйте ярлык в Папка 2.

Проверьте, как работает ярлык.

Удалите каталог 1 и ярлык.

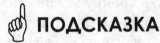 ПОДСКАЗКА

1. Щелкните в свободной области правой кнопкой мыши, выполните команду Создать ▸ Папку, введите 1 и нажмите Enter.

2. Двойным щелчком (или одинарным и нажатием Enter) откройте папку 1. Щелкните правой кнопкой мыши в свободной области открывшегося окна, выполните команду Создать ▸ Папку, введите имя 2 и нажмите Enter.

3. Закройте Папку 1 — нажмите крестик в правом верхнем углу. Правой кнопкой мыши щелкните на значке

папки, выполните команду Переименовать, введите имя Папка 2 и нажмите Enter.

4. Откройте Папку 1 двойным щелчком, правой кнопкой мыши щелкните на значке папки 2 и выполните команду Отправить ▸ Рабочий стол (создать ярлык).

5. Щелкните на значке ярлыка правой кнопкой мыши, выполните команду Переименовать, введите новое имя и нажмите Enter.

6. Дважды щелкните на ярлыке — должна открыться папка.

7. Щелкните на папке и нажмите Delete. Ярлык удаляется аналогично.

Действия над папками и файлами

Находящиеся на Рабочем столе папки можно копировать и перемещать. Для этого существует несколько способов — сначала покажем вам самый удобный.

Если на Рабочем столе находятся и файл (папка), который нужно переместить, и каталог, в который вы будете перемещать, достаточно просто перетащить файл (папку) на изображение папки для копирования и только тогда отпустить кнопку мыши. Так файл (папка) переместится в указанную папку. Если вы хотите только скопировать, то, перетаскивая, удерживайте нажатой клавишу Ctrl. Перетащив копируемый объект на изображение папки, сначала отпустите кнопку мыши, а затем — Ctrl.

....

ЗАПОМНИТЕ

Есть еще один удобный способ копирования файлов и папок. Откройте окно Мой компьютер, а в нем — папку, в которой находятся копируемые файлы. Затем откройте еще одно окно Мой компьютер и в нем — каталог, в который нужно скопировать объект. Расположите диалоги так, чтобы они были одновременно видны на экране (рис. 18) и просто перетащите файл. Таким способом можно только скопировать объекты!

....

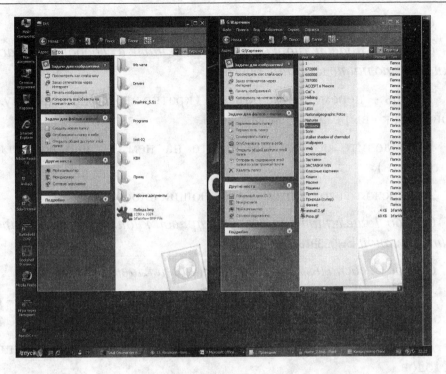

Рис. 18. Два окна

Теперь — стандартный способ. Здесь важно запомнить схему — что в какой последовательности делать. Итак, копирование.

1. Выделите объект (щелкните на нем — значок должен потемнеть).

2. Скопируйте его одним из следующих способов.

Способ 1: щелкните на объекте правой кнопкой мыши и выполните команду Копировать.

Способ 2: воспользуйтесь комбинацией клавиш Ctrl+C.

3. Перейдите в папку, в которую копируете объекты, — откройте ее двойным щелчком (должно появиться окно).

4. Вставьте скопированный объект одним из приведенных ниже способов.

Способ 1: выполните команду Правка ▶ Вставить.

Способ 2: воспользуйтесь сочетанием клавиш Ctrl+V.

Способ 3: правой кнопкой мыши щелкните в свободной области окна и выполните команду Вставить.

Теперь — перемещение объекта (кратко это можно сформулировать как «вырезать — вставить»).

1. Выделите объект (щелкните на нем — значок должен потемнеть).

2. Вырежьте его одним из следующих способов.

Способ 1: щелкните на объекте правой кнопкой мыши и выполните команду Вырезать.

Способ 2: воспользуйтесь комбинацией клавиш Ctrl+X.

3. Перейдите в папку, в которую вы перемещаете объект, — откройте ее двойным щелчком (должно появиться окно).

4. Вставьте вырезанный объект одним их приведенных ниже методов.

Способ 1: выполните команду Правка ▶ Вставить.

Способ 2: воспользуйтесь сочетанием клавиш Ctrl+V.

Способ 3: правой кнопкой мыши щелкните в свободной области окна и выполните команду Вставить.

Предлагаем вам два различных способа — перетаскиванием и по схеме. Перетаскивание более понятно и удобно. Кстати, из-за случайно выполненного такого действия объекты «исчезают» с Рабочего стола, поэтому будьте внимательны при работе с мышью.

Запомнив схему и хотя бы один способ, вы сможете копировать и перемещать папки (файлы, ярлыки) с одного диска на другой.

УПРАЖНЕНИЕ

1. Создайте папку Мои ярлыки на Рабочем столе.

2. Создайте ярлык для программы Мои документы.

3. Переместите созданный ярлык в папку **Мои ярлыки**.

4. Создайте ярлык для программы Paint (нажмите кнопку **Пуск** и выполните команду **Все программы ▶ Стандартные**).

5. Скопируйте ярлык для Paint в папку **Мои ярлыки**.

6. Удалите каталог **Мои ярлыки** и ярлык для Paint.

 ## ПОДСКАЗКА

1. Щелкните правой кнопкой мыши, выполните команду Создать ▶ Папку, введите имя и нажмите Enter.

2. Правой кнопкой мыши щелкните на значке программы и выполните команду Создать ярлык. Вы выбрали команду Создать ярлык, потому что отправлять его никуда не нужно — вы и так находитесь на Рабочем столе. Появившийся значок будет отличаться от значка Мои документы черной стрелкой в углу. Именно этот значок нужно перемещать.

3. Выделите ярлык, щелкните на нем правой кнопкой мыши и выполните команду Вырезать. Откройте папку Мои ярлыки и выполните команду Правка ▶ Вставить.

4. Щелкните правой кнопкой мыши на имени программы Paint и выполните команду Отправить ▶ Рабочий стол (создать ярлык).

5. Аналогично 3, только вместо Вырезать выполните команду Копировать.

6. Выделите и нажмите Delete.

 # Вопросы

Хочу удалить папку. Удалится ли ее ярлык, расположенный на Рабочем столе*?*

Нет, ярлык останется, но после удаления папки он работать не будет. Удалить его нужно отдельно.

Корзина

Сразу после установки операционной системы Windows на Рабочем столе появляются стандартные значки — Мои документы, Корзина, Мой компьютер и др. Каждый такой значок — это ссылка на программу, которая предназначена для выполнения определенных действий.

Основное назначение Корзины — хранение удаленных документов (значков, файлов и т. д.) (рис. 19). Это как корзина для ненужных бумаг в кабинете: документ из нее всегда можно вернуть — в папку или на полку, конечно, если персонал не успел очистить ее. На компьютере все происходит аналогичным образом.

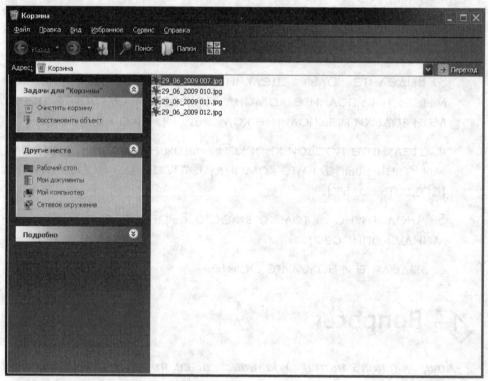

Рис. 19. Корзина

Восстановление удаленных объектов

Представим, что вы удалили папку, например, с фото, а потом передумали и решили ее оставить. В этом случае выполните следующие действия.

1. Откройте Корзину (двойной щелчок или сначала щелчок, а потом — Enter).

2. Среди удаленных объектов найдите нужный и щелкните на нем, чтобы выделить.

3. Непосредственно для восстановления можно воспользоваться одним из следующих способов.

Способ 1: справа в области Задачи для «Корзины» *нажмите* Восстановить объект.

Способ 2: выполните команду Файл ▶ Восстановить.

Способ 3: правой кнопкой мыши щелкните НА ВЫДЕЛЕННОМ ОБЪЕКТЕ и выполните команду Восстановить.

Если вы все выполнили верно, то объект должен исчезнуть из Корзины и переместиться в папку, из которой был удален.

Как правило, восстанавливать документы приходится редко.

Очистка Корзины

Чистить Корзину нужно как можно чаще, потому что даже если вы удалили какие-то документы, то, находясь в Корзине, они все еще занимают место в памяти компьютера.

Очистку Корзины можно выполнить несколькими путями.

Способ 1: не заходя в Корзину, *щелкните на значке* Корзина *правой кнопкой мыши и выполните команду* Очистить корзину.

ЗАПОМНИТЕ

Если команда Очистить корзину не активна (бледнее, чем остальные) и не выполняется, значит Корзина уже пуста.

Остальные два способа используются, когда Корзина открыта.

Способ 2: в области Задачи для «Корзины» *нажмите* Очистить корзину.

Способ 3: выполните команду Файл ▸ Очистить корзину.

ЗАПОМНИТЕ

Если команды Очистить корзину в меню Файл нет, значит у вас выделен какой-то объект. Чтобы команда появилась, нужно щелкнуть в любой свободной области окна программы Корзина.

УПРАЖНЕНИЕ

Восстановите папку Мои ярлыки.

Очистите Корзину.

Удалите папку Мои ярлыки с Рабочего стола еще раз.

ПОДСКАЗКА

Откройте Корзину двойным щелчком. Найдите в ней нужную папку и выделите ее. В области Задачи для «Корзины» нажмите Восстановить объект. Нажмите Очистить корзину в области Задачи для «Корзины». Закройте окно. Выделите папку Мои ярлыки и нажмите Delete.

🖎 Вопросы

Можно ли удалять файлы и папки так, чтобы они не попадали в Корзину, *а сразу стирались из памяти компьютера?*

Можно, но это следует делать, будучи полностью уверенными, что объекты больше не понадобятся, потому что восстановить их будет уже невозможно. Это делается так: выделяете объект и нажимаете комбинацию Shift+Delete. Такое удаление называется «жестким».

Мой компьютер

Программа Мой компьютер является стандартной, и значок изначально присутствует на Рабочем столе. Основное назначение этой программы — работа с файлами и папками:

- создание;
- удаление;
- копирование;
- перемещение;
- запись на диск.

Мой компьютер — это самый простой способ управления имеющейся на компьютере информацией.

Чтобы запустить эту программу, дважды щелкните на ее значке на Рабочем столе (или щелкните и нажмите Enter; можно также открыть приложение через меню кнопки Пуск — нажать Пуск и выполнить команду Мой компьютер). Появится следующее окно (рис. 20).

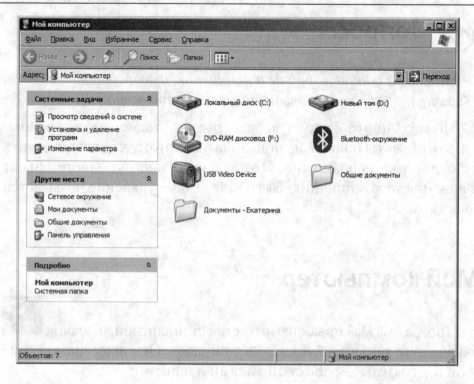

Рис. 20. Окно Мой компьютер

В основной части окна отображены все диски (локальные), а также подключенные к компьютеру носители информации.

Чтобы посмотреть, что находится на каком-либо диске, его нужно открыть одним из следующих способов.

Способ 1: дважды щелкнуть на значке диска.

Способ 2: щелкнуть на значке диска и нажать Enter.

Способ 3: правой кнопкой мыши щелкнуть на значке диска и выполнить команду Открыть.

После этого в основной области окна программы отобразится все, что находится на данном диске. Просмотр других папок диска осуществляется аналогичным образом — любым из трех вышеописанных способов.

Содержимое диска или папки может отображаться по-разному — списком, таблицей или слайдами. Все зависит от привычки пользователя и удобства использования того или иного вида в конкретной ситуации. Изменить вид отображения значков в окне можно одним из следующих способов.

Способ 1: Воспользоваться кнопкой 🔲*, которая находится вверху окна и называется* Вид *(чтобы увидеть ее название, нужно навести на нее указатель мыши и подождать несколько секунд) (рис. 21).*

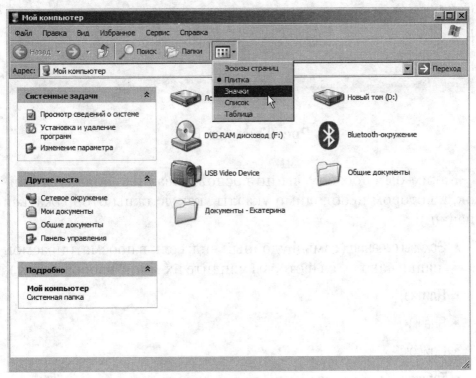

Рис. 21. Кнопка Вид

Способ 2: воспользоваться меню Вид *(рис. 22).*

75

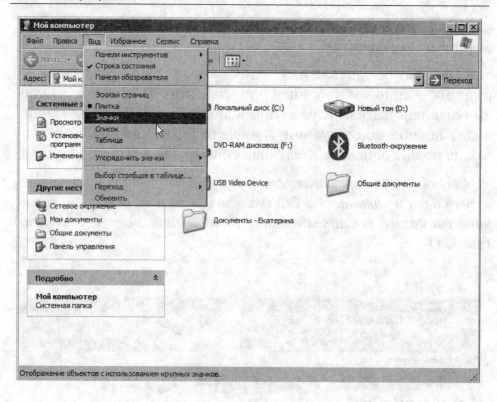

Рис. 22. Меню Вид

Каким бы способом вы ни воспользовались, появится список, в котором необходимо указать, как должны отображаться значки:

- **Эскизы страниц** (самый удобный вид; если в просматриваемой папке находятся фото, вы увидите их мини-изображения);

- **Плитка;**

- **Значки;**

- **Список;**

- **Таблица** (кроме названий папок отобразятся их свойства — размер, дата создания и т. д.).

Точкой отмечен вид, который включен сейчас. В данном случае это **Плитка** (см. рис. 21, 22).

Вот так будет выглядеть список дисков, если вы выберете вид Таблица (рис. 23).

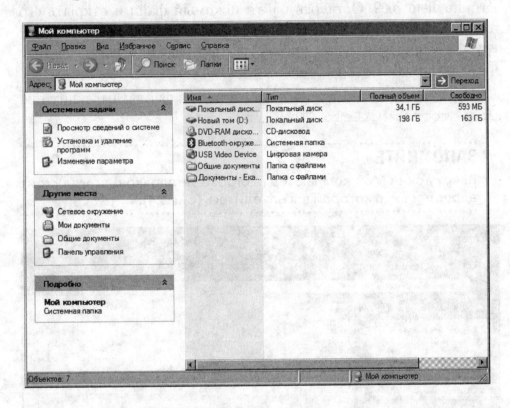

Рис. 23. Вид Таблица

ЗАПОМНИТЕ

Как бы ни выглядел ваш список, элементы в нем будут одинаковые. Каждый вид имеет преимущества и недостатки.

ПРИМЕР

Открыть фотографию На море.jpg, которая находится на диске G: в каталоге Фотографии во вложенной папке Лето 2009.

Следует открыть Мой компьютер, затем — найти и открыть диск G: (двойной щелчок, щелчок и Enter или щелчок правой кнопкой мыши и команда **Открыть**). Отобразится содержимое диска. В списке следует найти и открыть папку **Фотографии**, а в ней — подкаталог **Лето 2009**. Осталось найти искомый файл и открыть его любым известным вам способом. После этого автоматически загрузится программа для просмотра изображений и вы увидите фотографию `На море.jpg`.

Путь, который вы прошли для открытия файла, выглядит так: `G:\Фотографии\Лето 2009\`.

ЗАПОМНИТЕ

Вверху окна Мой компьютер (в строке заголовков) всегда стоит адрес папки, в которой вы находитесь (рис. 24).

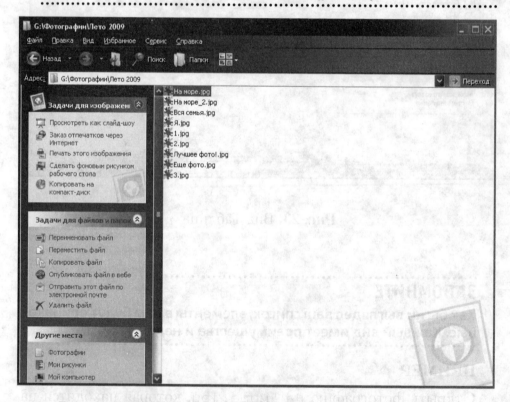

Рис. 24. В строке заголовков отображается адрес папки, в которой вы находитесь

Чтобы перейти в другую папку (на другой диск), нужно воспользоваться строкой адреса — нажать маленькую стрелку в конце этой строки: раскроется дерево дисков и все папки, внутри которых вы в данный момент находитесь (рис. 25).

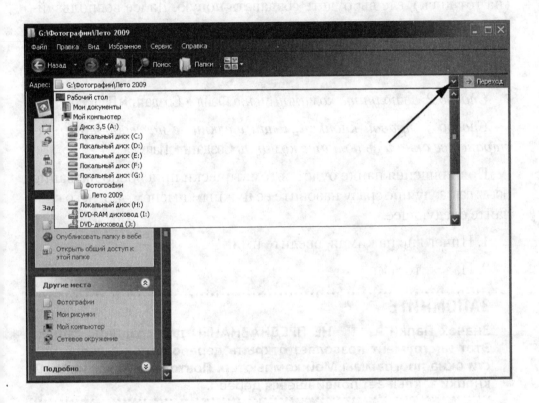

Рис. 25. Дерево дисков и папок

Вы можете перейти в ЛЮБУЮ папку (на любой диск), который видите в предложенном списке, а выбрав Мой компьютер, вы вернетесь к первоначальному виду окна.

При работе с Моим компьютером удобно пользоваться кнопкой Вверх ⬆. Она позволит вернуться в папку, которая находится на уровень выше. Так, для рассмотренного выше примера нажатие кнопки Вверх позволит перейти в папку Фотографии, а повторное нажатие — на диск G:.

Создание папки

Программа Мой компьютер — удобный инструмент для создания папок на любом диске или в каком-либо другом каталоге. Первое, что вам нужно запомнить: сначала необходимо зайти в ту папку (на тот диск), где вы будете создавать новую. Далее воспользуйтесь одним из предложенных ниже способов.

Способ 1: нажмите Создать новую папку *в области* Задачи для файлов и папок.

Способ 2: выполните команду меню Файл ▸ Создать ▸ Папку.

Способ 3: правой кнопкой мыши щелкните на свободном пространстве окна и выполните команду Создать ▸ Папку.

Появившейся папке будет автоматически присвоено название Новая папка; лучше сразу назовите ее нужным именем, для чего сделайте следующее.

1. Ничего не нажимая, введите имя.

2. Нажмите Enter.

ЗАПОМНИТЕ

Значок Папки **НЕ ПРЕДНАЗНАЧЕН** для создания папок! Этот инструмент позволяет открыть дерево папок в левой части окна программы Мой компьютер. Повторное нажатие этой кнопки закрывает появившееся дерево.

Переименование папки (файла)

Для переименования папки или файла нужно действовать по следующей схеме.

1. Щелчком выделите объект.

2. «Зайдите» в окно с названием объекта.

Способ 1: нажмите Переименовать файл (папку) *в области* Задачи для файлов и папок.

Способ 2: выполните команду меню Файл ▸ Переименовать.

Способ 3: щелкните на имени объекта один раз (если объект не выделен, то медленно щелкните два раза).

Способ 4: правой кнопкой мыши щелкните на значке файла или папки и выполните команду Переименовать.

3. Введите новое имя. Обращаем ваше внимание, что, когда вы выполнили одно из действий пункта 2, старое имя уже выделено — достаточно начать вводить новое название, как выделенные символы сами исчезнут. Если же вам нужно, например, исправить ошибку в имени файла (папки), сначала следует поставить курсор в поле имени — щелкнуть кнопкой мыши один раз, появится мигающая вертикальная черта (курсор).

4. Нажмите Enter.

Копирование файлов и папок

Скопировать файлы (папки) можно следующим образом.

1. Выделите файл (папку), который будете копировать, щелкнув на нем.

2. Теперь выберите любой из способов.

Способ 1: команда меню Правка ▶ Копировать.

Способ 2: щелчок правой кнопкой мыши на файле (папке) и команда Копировать.

Способ 3: сочетание клавиш Ctrl+C *(удерживайте клавишу* Ctrl, *а клавишу* C *нажмите и отпустите).*

3. Перейдите в папку, в которую будете вставлять скопированный объект. Для этого воспользуйтесь списком Адрес (нажмите маленькую стрелку в конце строки — появляется список дисков; выберите из него диск (папку)). Можно также сразу перейти к списку дисков — нажать Мой компьютер в области Другие места.

4. Вставляем файл (папку) одним из следующих способов.

Способ 1: команда меню Правка ▶ Вставить.

Способ 2: щелчок правой кнопкой мыши на файле (папке) и команда Вставить.

Способ 3: сочетание клавиш Ctrl+V *(удерживайте клавишу* Ctrl, *а клавишу* V *нажмите и отпустите).*

ЗАПОМНИТЕ

Скопировать файл (папку) достаточно один раз, а вставлять можно много раз (до тех пор, пока не скопируете новый).

Для копирования папки можно также воспользоваться областью Задачи для файлов и папок. Для этого выполните следующие действия.

1. Выделите объект, который копируете (щелкните на нем).

2. Выполните команду Копировать файл в области Задачи для файлов и папок.

3. В открывшемся окне (рис. 26) нужно выбрать папку, в которую вы копируете выделенный объект. Для этого просто щелкните на ее названии. Если каталог в данный момент не виден, а находится, например, на диске D: в другой папке, нужно сначала щелкнуть на имени диска D: — откроется его содержимое, где и следует выделить нужную папку.

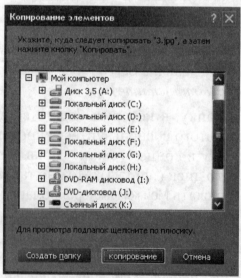

Рис. 26. Окно Копирование элементов

Когда папка, в которую вы копируете объект, найдена и ВЫ-ДЕЛЕНА, нажмите кнопку **Копирование**.

Перемещение файлов (папок)

Перемещая какой-либо объект, его нужно вырезать из одного места, а затем вставить в другое. Схематически это выглядит следующим образом.

1. Выделите файл (папку), который будете перемещать (вырезать), щелкнув на нем.

2. Теперь выберите любой из способов.

Способ 1: команда меню **Правка ▸ Вырезать**.

Способ 2: щелчок правой кнопкой мыши на файле (папке) и команда **Вырезать**.

Способ 3: сочетание клавиш **Ctrl+X** *(удерживайте клавишу* **Ctrl**, *а клавишу* **X** *нажмите и отпустите)*.

....

ЗАПОМНИТЕ

После выполнения этой операции файл (папка) сразу не удалится, а станет бледнее и исчезнет из папки, только когда вы вставите его в другое место. Если вы по какой–то причине никуда не вставите вырезанный объект, то он так и останется на прежнем месте.

....

3. Перейдите в папку, в которую будете вставлять вырезанный объект. Для этого опять воспользуйтесь списком **Адрес** (нажмите стрелку справа). Более длинный, но понятный способ перехода — нажать **Мой компьютер** в области **Другие места** и обычным методом перейти в нужную папку.

4. Теперь вставьте файл (папку) одним из следующих способов.

Способ 1: команда меню **Правка ▸ Вставить**.

Способ 2: щелчок правой кнопкой мыши на файле (папке) и команда **Вставить**.

Способ 3: сочетание клавиш Ctrl+V *(удерживайте клавишу* Ctrl, *а клавишу* V *нажмите и отпустите).*

ЗАПОМНИТЕ

Достаточно вырезать файл (папку) один раз, а вставлять его можно много раз (до тех пор, пока не вырежете новый).

Для перемещения папки также можно воспользоваться областью Задачи для файлов и папок (все делается по аналогии с копированием).

1. Выделите объект, который будете перемещать, щелкнув на нем.

2. Выполните команду Переместить файл в области Задачи для файлов и папок.

3. В появившемся окне (рис. 27) выберите папку, в которую перемещаете выделенный объект. Щелчок на названии диска (папки) открывает его содержимое.

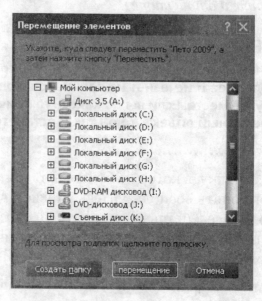

Рис. 27. Окно Перемещение элементов

4. Нажмите кнопку Перемещение.

Удаление файла (папки)

Удалить любой объект можно следующим образом.

1. Выделите объект (или группу объектов).

2. Удалите их любым из приведенных далее способов:

- *способ 1: нажмите клавишу* Delete;

- *способ 2: выполните команду меню* Файл ▶ Удалить;

- *способ 3: щелчок правой кнопкой мыши на выделенном объекте и команда* Удалить.

ЗАПОМНИТЕ

Пользуясь одним из вышеуказанных способов, вы не удалите файл (папку) из памяти компьютера — сначала удаляемый объект попадет в Корзину. Полное удаление происходит только после очистки Корзины.

УПРАЖНЕНИЕ

Создайте на диске D: папку с именем Моя папка. В ней создайте еще одну с именем 1.

Переименуйте Папку 1 в Тексты.

Скопируйте папку Тексты на диск D:.

Переместите папку Моя папка на диск E: (*или любой другой диск*).

Удалите папку Моя папка с диска E:. Очистите Корзину.

 ПОДСКАЗКА

1. Сначала нужно открыть Мой компьютер и дважды щелкнуть на значке диска D:. Затем одним из описанных выше способов (например, нажатием Создать новую папку в области задач) следует создать папку. Ничего

больше не нажимая, введите имя Моя папка и нажмите Enter. Откройте этот каталог двойным щелчком. В нем аналогичным образом создайте Папку 1.

2. Зайдите в Моя папка, выделите подкаталог 1 и нажмите Переименовать файл (папку) в области задач. Ничего больше не нажимая, введите новое имя Тексты и нажмите Enter.

3. Откройте Мой компьютер, зайдите на диск D: и дважды щелкните на папке Моя папка. Щелчком выделите папку Тексты и выполните команду меню Правка ▶ Копировать.

Перейдите на диск D: (нажмите кнопку Вверх один раз) и выполните команду меню Правка ▶ Вставить.

4. Откройте Мой компьютер, дважды щелкните на значке диска D:, выделите каталог Моя папка и выполните команду меню Правка ▶ Вырезать.

Перейдите на другой диск, нажав кнопку Вверх или в строке Адрес выбрав из списка диск E:. Выполните команду меню Правка ▶ Вставить.

5. Откройте Мой компьютер, дважды щелкните на значке диска E:, выделите каталог Моя папка и нажмите клавишу Delete.

Закройте Мой компьютер (или сверните (щелкните на значке подчеркивания в правом верхнем углу окна программы)). Правой кнопкой мыши щелкните на значке Корзина и выполните команду Очистить корзину.

УПРАЖНЕНИЕ

Создайте на диске D: папки, чтобы они организовывали следующую структуру (рис. 28).

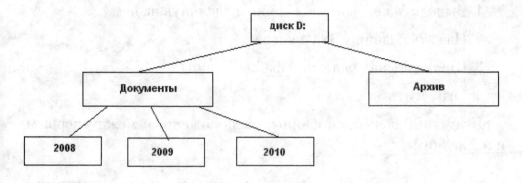

Рис. 28. Структура папок

1. Переместите папку 2008 в каталог Архив.

2. Создайте на диске D: новую папку Работа.

3. Скопируйте каталоги Архив и Документы в папку Работа.

4. Удалите папки Архив и Документы с диска D:.

5. Переименуйте каталог Документы в Документы 2009–2010.

6. Создайте на Рабочем столе ярлык для папки Работа.

7. Очистите Корзину.

Выделение группы файлов (папок)

При работе с файлами и папками иногда приходится, например, удалять или перемещать целую группу. При этом выполнять требуемую операцию для каждого отдельного файла или папки неудобно и долго. В такой ситуации важно уметь выделять группу.

Файлы (папки), которые нужно выделить, могут идти подряд (списком) или располагаться вразброс. В зависимости от этого используются различные способы выделения.

Если файлы (папки) расположены друг за другом, то нужно выполнить следующие действия.

87

1. Выделить первый файл группы, щелкнув на нем.

2. Нажать клавишу Shift и удерживать ее.

3. Щелкнуть на последнем файле группы.

4. Отпустить Shift.

Будут выделены все файлы, расположенные между первым и последним.

ЗАПОМНИТЕ

Если список файлов очень большой, и чтобы нажать на последнем файле, необходимо прокрутить список, нужно отпустить Shift на время прокрутки. Главное — НЕ ЩЕЛКАТЬ КНОПКОЙ МЫШИ И НЕ НАЖИМАТЬ никаких других клавиш. Когда вы закончите просмотр списка, сначала нажмите Shift, а затем щелкните на последнем файле группы.

Есть и другой способ выделения файлов (папок), расположенных группой, — с помощью мыши. На начальном этапе я не рекомендую вам использовать его.

Если файлы (папки) не идут по порядку, то выделить группы можно следующим образом.

1. Выделить первый элемент группы, щелкнув на нем.

2. Нажать клавишу Ctrl и удерживать ее.

3. Выделять другие элементы.

ЗАПОМНИТЕ

Если при выделении файлов вы будете пользоваться прокруткой (колесиком мыши), то Ctrl нужно отпускать и нажимать только перед тем, как выделять очередной элемент группы.

Выделенную группу можно:

• удалять;

- копировать;

- перемещать.

Эти действия выполняются теми же способами, которые используются для одного объекта (файла, папки или ярлыка).

УПРАЖНЕНИЕ

Переместите на Рабочем столе несколько значков одновременно.

Верните значки на исходное место.

 ПОДСКАЗКА

Сначала проверьте, будут ли они перемещаться: щелкните на свободном пространстве Рабочего стола правой кнопкой мыши и выполните команду Упорядочить значки — пункт автоматически не должен быть отмечен. Выделите один значок, нажмите клавишу Ctrl и, удерживая ее, щелкните еще на нескольких значках. Отпустите Ctrl. Все значки останутся выделенными. Щелкните на любом выделенном значке и, удерживая кнопку мыши, перетащите значки. Отпустите кнопку мыши. Все выделенные значки переместятся.

Работа с флеш-памятью (флешкой)

Сначала флешку нужно подключить к компьютеру через USB-порт. Он может находиться спереди либо сзади на системном блоке или клавиатуре. Когда вы вставите устройство в порт, на экране появится сообщение Подключено новое устройство. Вы также увидите окно, которое сразу позволяет выбрать, что делать с содержимым вашей флешки (рис. 29).

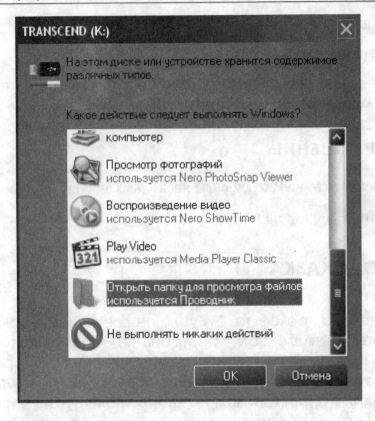

Рис. 29. Окно выбора действия

Из списка нужно выбрать действие Открыть папку для просмотра файлов и нажать ОК.

Однако если вы нажали Отмена или окно не появилось, всегда можно открыть Мой компьютер. В окне этой программы кроме обычных дисков появится еще один — со стрелкой. Это и есть ваша флешка.

Информация сохраняется на флешку так же, как если бы вы копировали что-то с одного диска на другой. Все по той же схеме: копируете — переходите на другой диск — заходите в нужную папку — вставляете.

При работе с флешкой есть только одна особенность — ее извлечение, то есть отключение от компьютера.

ЗАПОМНИТЕ
Просто доставать флеш-память из порта неправильно.

Чтобы ПРАВИЛЬНО завершить работу с флеш-памятью, нужно выполнить следующие действия.

1. Закрыть все программы, которые работали с флешкой, и все открытые файлы, сохраненные на ней.

2. Щелкнуть на значке Безопасное извлечение устройства 🖳 в правом нижнем углу экрана. Вы можете сразу не увидеть его — он может быть скрыт из-за большого количества других значков, но найти его несложно. В том же правом углу найдите значок «. Он говорит о том, что здесь есть другие значки. Чтобы они показались, нужно щелкнуть на нем.

3. После щелчка появится команда, которую вы можете выполнить, — Безопасное извлечение Запоминающее устройство для USB.

4. Если вы все сделали правильно, через несколько секунд появится сообщение Оборудование может быть удалено. При этом лампочка на флешке погаснет, значит устройство можно спокойно отключать.

🖎 Вопросы

Делаю все, как написано, а флешка не извлекается — появляется сообщение Устройство не может быть остановлено прямо сейчас.

Скорее всего, вы не закрыли все документы, которые были открыты с этого диска. Попробуйте закрыть все открытые окна, а также программу Мой компьютер, если в ней открыта ваша флешка. После этого извлеките устройство еще раз по той же схеме.

Запись файла (папки) на диск

Чтобы обменяться с кем-либо информацией, можно использовать диск (CD или DVD) либо флешку. Однако необходимо уметь записывать информацию на эти носители.

В операционной системе Windows XP для записи информации на CD не нужна специальная программа — она уже встроена. А вот для записи DVD потребуется установка специальной записывающей программы. Если вы работаете в Windows Vista, то с помощью ее средств сможете записать как CD, так и DVD. Рассмотренный ниже способ записи дисков подходит нам тем, что действие выполняется по уже известной нам схеме и отличается только несколькими дополнительными операциями. Итак, сделайте следующее.

1. Откройте Мой компьютер.

2. Скопируйте информацию, которую хотите записать на диск (выделите объекты и выполните команду меню Правка ▸ Копировать).

3. Перейдите на CD (DVD) в программе Мой компьютер.

4. Вставьте скопированную информацию (команда меню Правка ▸ Вставить). Вставленные файлы отобразятся бледными значками (это пока временные, еще не записанные файлы).

5. Нажмите Записать файлы на компакт-диск в области Задачи для записи CD.

6. В появившемся окне введите имя диска (по желанию) и нажмите Далее (рис. 30).

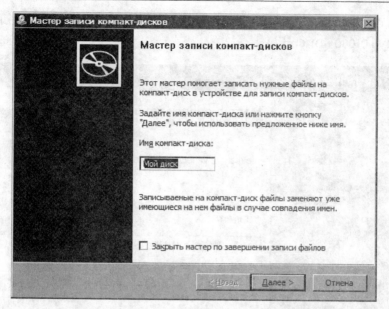

Рис. 30. Введите имя диска и нажмите кнопку Далее

Начнется процесс записи файлов на диск (рис. 31).

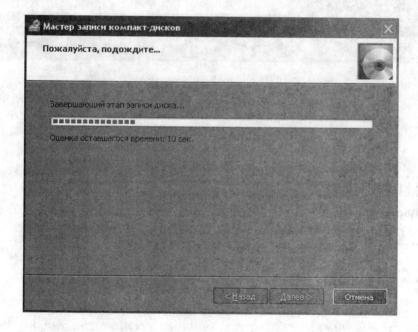

Рис. 31. Запись файлов на диск

По окончании записи появится окно, в котором нужно нажать кнопку Готово (рис. 32).

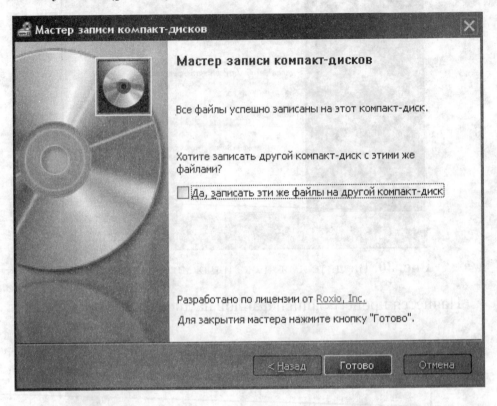

Рис. 32. Запись успешно завершена

ЗАПОМНИТЕ

ЗАПОМНИТЕ

Лучше сначала вставить ВСЕ необходимые файлы на диск, и только после этого нажимать Записать файлы на компакт-диск.

Вопросы

Как посмотреть, сколько свободного места осталось на диске?

Вы можете сделать это двумя способами.

94

Способ 1 (универсальный): откройте **Мой компьютер**, правой кнопкой мыши щелкните на имени диска и выполните команду **Свойства**.

В появившемся окне вы сможете увидеть соотношение свободного и занятого места на диаграмме, а также в байтах (рис. 33).

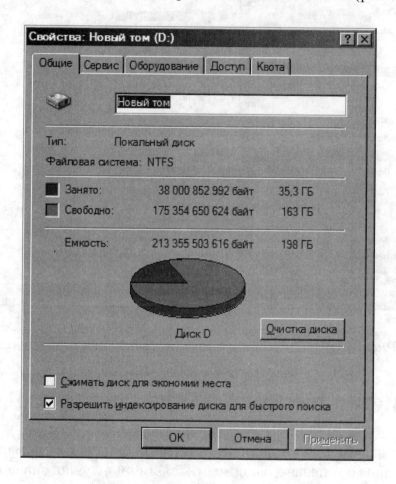

Рис. 33. Окно свойств диска

Способ 2: если вы хотите узнать объем оставшегося свободного места на одном из жестких дисков (локальных), достаточно выделить его имя в окне **Мой компьютер** и посмотреть на область **Подробно**, расположенную справа (рис. 34).

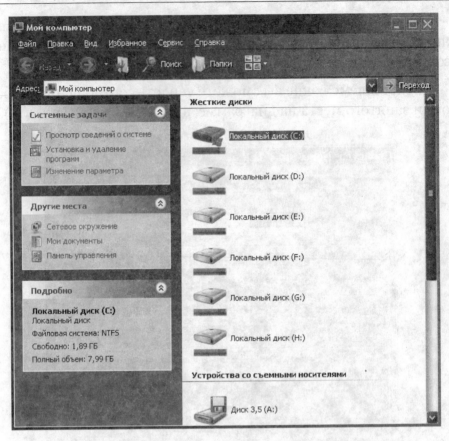

Рис. 34. Выделите диск и взгляните на область Подробно

Очистка диска

Если вам нужно записать большой объем информации на диск и вы сомневаетесь, поместится ли она, лучше сначала очистить диск — удалить с него всю информацию, чтобы затем записать новую.

ЗАПОМНИТЕ

Очистить можно только CD–RW и DVD–RW — они многоразового использования!

Очистить диск можно следующим образом.

1. Вставьте диск.

2. В появившемся окне выберите Открыть папку для просмотра файлов и нажмите OK (рис. 35).

Рис. 35. Окно выбора действия

3. В открывшемся окне в области Задачи для записи CD нажмите Стереть этот CD-RW (рис. 36).

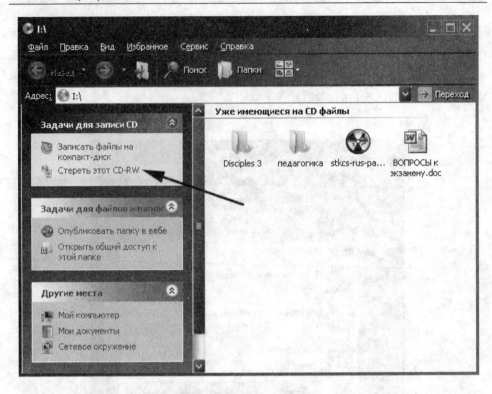

Рис. 36. В области слева выберите Стереть этот CD-RW

Знакомимся с клавиатурой

Основное назначение клавиатуры — ввод информации (букв, цифр и символов), поэтому любая клавиатура включает множество клавиш, о назначении которых несложно догадаться — они все подписаны. Чтобы увидеть символ на экране, нужно нажать соответствующую клавишу. Предполагается, что работать на клавиатуре вы будете двумя руками, а не одним пальцем. Современные клавиатуры дополнены новыми кнопками, с помощью которых можно выполнять различные дополнительные операции, не пользуясь мышью, например регулировать звук колонок или загружать различные приложения. Однако какой бы клавиатура ни была, большинство ее клавиш — стандартные, а значит, выполняют известные вам действия.

Если внимательно посмотреть на клавиатуру, можно увидеть, что все клавиши разделены на группы, и сделано это не просто так.

Алфавитно-цифровые клавиши

Самая многочисленная группа — это *алфавитно-цифровые* клавиши. На каждой такой клавише изображены два символа разного цвета (возможно, и одинакового, но при этом буквы одного алфавита отличаются от букв другого расположением). Одни буквы — английские, другие — русские. Чтобы на экране отображались буквы английского алфавита, у вас должен быть включен английский язык (посмотрите на индикатор языка в правом нижнем углу экрана).

Кроме цифр и букв в этой группе есть вспомогательные клавиши, необходимые при работе с текстом. Рассмотрим их назначение.

Для большей наглядности рекомендую вам открыть Microsoft Word (это программа для работы с текстом) и проверять действие клавиш на практике. Итак, загружаем (открываем) Microsoft Word: Пуск ▸ Все программы ▸ Microsoft Office ▸ Microsoft Office Word 2007.

У вас перед глазами появился большой чистый лист. На нем вы увидите мигающую вертикальную черту — курсор. Курсор указывает место, где будут появляться символы, которые вы нажимаете на клавиатуре. Если курсор вдруг исчез, нужно просто щелкнуть кнопкой мыши на листе.

Итак, клавиши.

• Пробел — это самая длинная клавиша без подписи. Вставляет промежуток, маленький фрагмент строки, всегда одинакового размера. Используется для отделения слов друг от друга при вводе (печати) текста.

• CapsLock (произносится как «капслок») — клавиша смены регистра. Если она не включена, то все буквы, которые вы нажимаете, отображаются строчными (маленькими); если нажать ее (при этом в правом верхнем углу клавиатуры загорится средняя лампочка), то все буквы будут прописными (большими).

ЗАПОМНИТЕ

Если нужно ввести только одну заглавную букву, например в начале предложения, достаточно сначала нажать клавишу Shift и, удерживая ее, набрать требуемую букву. После этого Shift можно отпустить.

Кстати, если клавиша CapsLock включена, то комбинация Shift+буква будет работать обратным образом — вместо прописной вы получите строчную букву.

УПРАЖНЕНИЕ

Нажмите CapsLock (загорелась центральная лампочка в правом верхнем углу клавиатуры?) и введите любые буквы — все они будут прописными. Нажмите CapsLock еще раз (теперь вы отключите ее действие) и опять наберите несколько букв — они уже строчные.

* Shift («шифт»), Alt («альт») и Ctlr («контрол») — вспомогательные клавиши; это значит, что по отдельности они не выполняют никаких действий и работают только в комбинации с другими клавишами.

  Так, чтобы вместо цифры 1 получить знак !, сначала нужно нажать клавишу Shift и, удерживая ее, набрать 1.

....

ЗАПОМНИТЕ

Посмотрев внимательно на клавиатуру, можно заметить, что данные клавиши расположены как слева, так и справа. Независимо от того, с какой стороны они располагаются, они выполняют одинаковые действия.

....

Двойной комплект клавиш необходим вот для чего. В идеале вы должны работать на клавиатуре двумя руками, поэтому когда нужна комбинация клавиш, одна рука нажимает букву (за каждым пальцем «закреплены» определенные буквы), а другая — вспомогательную клавишу с той стороны, с которой удобнее.

* Tab (табуляция) — вставляет фрагмент пустой строки. Так, если вы нажмете пробел, то будет вставлен маленький промежуток, а если Tab — то большой. Отмечу, что такое действие данная клавиша выполняет, если вы работаете с текстом. Если же вы работаете с таблицей, клавиша Tab позволяет переходить из одной ячейки в другую.

УПРАЖНЕНИЕ

Посмотрите, где находится курсор, и затем нажмите Tab — курсор переместится.

- **Esc** (от английского *escape* (произносится как «искейп»)) — это отмена действия. Не любого, конечно, но некоторых. Например, если вы случайно нажали правую кнопку мыши и появилось контекстное меню, или если появилось сообщение на экране, данная клавиша уберет все это, то есть отменит.

ЗАПОМНИТЕ

Клавиша Esc довольно безобидна. Если вы хотите убрать что-то с экрана, то сначала попробуйте нажать ее, а если ничего не произошло, тогда воспользуйтесь другим способом.

- **Backspace** (вместо названия может быть изображена стрелка влево) («бэкспэйс») — удаляет символ, находящийся слева от курсора (обратите внимание: сама стрелка указывает, в какую сторону выполняется это действие). Одно нажатие — удаление одного символа. Кстати, пробел — это тоже символ, и его тоже удаляют с помощью данной клавиши.

УПРАЖНЕНИЕ

Поставьте курсор в другое место — между напечатанными вами буквами.

Для этого подведите указатель мыши к тому месту, куда хотите переместить курсор, и НАЖМИТЕ ЛЕВУЮ КНОПКУ МЫШИ. Если вы этого не сделаете, курсор не переместится! Итак, курсор находится между буквами.

Нажмите **Backspace** один раз — удалится один символ слева.

- **Enter** (ввод ◄—┘; произносится как «энтер») — переводит курсор на новый абзац. Здесь важно понимать, что если строка заканчивается, а слово, которое вы собираетесь напечатать, не помещается, то переход на следующую строку происходит АВТОМАТИЧЕСКИ, а вот если вы закончили печатать абзац и хотите перейти на новый, то здесь уже нужно нажать Enter. Это что касается действия данной клавиши в тексте. Однако есть и другое, не менее важное действие, которое выполняет эта клавиша: в любой другой программе она ПОДТВЕРЖДАЕТ выполненное вами действие, например если вы выбрали какой-то пункт меню, чтобы подтвердить это и тем самым выполнить команду, можно нажать Enter (либо щелкнуть кнопкой мыши).

УПРАЖНЕНИЕ

Поставьте курсор в конце строки (подведите указатель мыши к последней букве строки и нажмите левую кнопку), а затем нажмите Enter — курсор переместится на новый абзац.

Функциональные клавиши

Клавиши, расположенные в верхнем ряду клавиатуры, — F1, F2,..., F12 — *функциональные*. Это значит, что каждая из них выполняет какое-то определенное действие в каждой конкретной программе.

Запомните главное: клавиша F1 — это вызов помощи в ЛЮБОЙ программе.

Клавиши редактирования

Следующая группа — это клавиши *редактирования*. Они используются для работы с текстом. В этой группе всего шесть клавиш, и они расположены отдельно.

- Insert (произносится как «инсерт») — смена режима. Данная клавиша может быть либо во включенном состоянии, либо в выключенном. Так, когда она нажата, происходит следующее: если курсор стоит в середине строки, то каждая набранная вами буква будет заменять ту, которая уже напечатана и находится справа, то есть будет работать режим замены. Если клавиша Insert выключена, то работает режим вставки (обычный режим), при котором при вводе вами буквы остальная часть строки просто отодвигается и символ вставляется туда, где стоит курсор.

УПРАЖНЕНИЕ

Перейдите на новый абзац (нажмите Enter).

Напечатайте 10 букв «а». Поставьте курсор в середину этого ряда букв (подведите указатель мыши и нажмите ее левую кнопку).

Нажмите Insert. Теперь несколько раз нажмите букву «б», при этом внимательно смотрите на экран — буквы «а» заменяются буквами «б». Это работает режим замены.

Нажмите Insert еще раз (таким образом вы отключите ее), переместите курсор в середину ряда ваших букв и нажмите несколько раз клавишу «в» — новые буквы вставились и как бы раздвинули строку. Так работает режим вставки.

В каком режиме работать — вставки или замены — дело привычки. Изначально (при включении компьютера) работает режим вставки.

- Home (произносится как «хоум») — перемещает курсор в начало строки, в которой он сейчас находится (такая строка называется текущей).

УПРАЖНЕНИЕ

Посмотрите, где находится курсор, а затем нажмите Home — курсор переместится в самое начало вашей строки (если до этого он там не стоял).

- Delete («делет») — удаляет символ справа от курсора. Одно нажатие — удаление одного символа. Удаляет любой ВЫДЕЛЕННЫЙ объект (папку, файл или ярлык) либо группу.

ЗАПОМНИТЕ

Действие клавиш BackSpace (←) и Delete в тексте схожее — они удаляют символы. Иногда на практике получается, что человек пользуется только одной из этих клавиш, мол, какая разница. Однако удобнее запомнить назначение каждой и пользоваться обеими — в зависимости от того, где находится курсор.

УПРАЖНЕНИЕ

Установите курсор в середину строки и нажмите Delete — удалится один символ справа.

- End («энд») — перемещает курсор в конец строки, в которой он сейчас находится.

УПРАЖНЕНИЕ

Нажмите клавишу Home — курсор окажется в самом начале строки. Теперь нажмите End — курсор переместится в конец.

- PageUp («пэйдж ап») — переход на одну страницу вверх. Работает только тогда, когда ваш документ состоит из нескольких страниц. Если страница одна, результата выполнения этого действия не будет.

- PageDown («пэйдж даун») — переход на одну страницу вниз. Аналогично, если страница всего одна, то результат виден не будет.

Клавиши управления курсором

Еще одна группа — клавиши *управления курсором*. Это стрелки →, ←, ↑ и ↓.

ЗАПОМНИТЕ

Данные клавиши удобно использовать для перемещения внутри текста. Однако практика показывает, что на начальном

105

этапе изучения пользователь ленится применять эти стрелки и упорно продолжает работать мышью, даже если курсор требуется переместить на один символ. При работе с текстом старайтесь больше пользоваться клавиатурой — это гораздо удобнее, чем каждый раз хвататься за мышь.

УПРАЖНЕНИЕ

Установите курсор в середину строки и посмотрите, как работают данные клавиши.

Дополнительная клавиатура

Есть еще одна группа клавиш, расположенная отдельно, — это *дополнительная клавиатура* (ее еще называют *цифровой клавиатурой*). Эта группа находится на клавиатуре справа и представляет собой клавиши с цифрами, которые размещены компактно — в одной части клавиатуры. Это сделано для удобства. Так, например, если вам нужно посчитать что-то на калькуляторе, все цифры и действия расположены рядом.

У большинства клавиш этой группы есть два действия, и сама цифровая клавиатура работает в двух режимах. Если нажать на ней клавишу NumLock (произносится как «намлок»), то загорится первая лампочка в верхнем правом углу. Если эта лампочка уже горит, то нажатие NumLock отключит ее. Таким образом, если NumLock включена, будут работать цифры, а если выключена, то будут выполняться действия, которые указаны под цифрами (то есть это будут уже клавиши редактирования текста и управления курсором).

Сочетания клавиш

Часто, чтобы выполнить некоторое действие, требуется нажать несколько клавиш — как правило, две. Не нужно пытаться их так и нажимать — сразу обе. Есть способ удобнее: одну клавишу удерживайте нажатой, а другую — нажмите и отпустите. После этого можно отпустить и удерживаемую клавишу. Так, например, вы действовали, когда печатали заглавную букву, — удерживали Shift и нажимали букву.

Ниже приведены важные сочетания клавиш.

Ctrl+Shift или **Alt+Shift** — смена языка.

Есть только две возможные комбинации для смены языка, на котором вы будете печатать текст. Самый простой способ выяснить, какая именно комбинация работает у вас, — проверить опытным путем: сначала — одну комбинацию, затем, если язык не изменился, — другую. Когда вы будете нажимать какую-либо из этих комбинаций клавиш, делайте следующее.

1. Удерживайте в нажатом состоянии **Shift**.

2. Смотрите на индикатор языка в правом нижнем углу экрана (отображается **RU** либо **EN**).

Shift+буква — заглавная буква.

Ctrl+Z — отмена последнего действия. Универсальная команда, которая работает в любой программе. Очень рекомендуем вам ее запомнить. Работает всегда и везде, даже если вы удалили документ, она вернет его на исходное место.

Часто приходится встречаться с такой ситуацией: когда человек узнает о назначении клавиш, он сначала удивляется их удобству и функциональности. Однако сразу запомнить назначение всех клавиш невозможно, поэтому пользователь продолжает работать только с клавишами, которые знал до этого. Такой подход в корне неверный. Не ленитесь подсматривать в книге назначение клавиш, а также другие способы выполнения действий — их использование в работе вы в дальнейшем оцените и поймете, что раз они есть, значит целесообразно ими пользоваться.

Работа с программой Microsoft Word 2007

Одной из основных задач, которые удобно выполнять на компьютере, является работа с документами. Преимуществ работы с документами на компьютере множество:

- вывод печатного текста на бумагу;

- редактирование (исправление и изменение) сохраненного документа;

- оформление готового текста (цветом, подчеркиванием, другим шрифтом, рамками и т. д.);

- удобная работа с таблицами (готовую, уже начерченную таблицу нужно только заполнить);

- автоматическое построение диаграмм по имеющимся данным;

- вставка в текст любых изображений из уже имеющейся галереи;

- выбор различных вариантов размещения текста на странице.

Здесь перечислены только основные действия, которые вы сможете выполнять, освоив азы работы с программой Microsoft Word. На самом деле возможностей гораздо больше, но они уже специфические и, возможно, вам никогда не понадобятся.

Самое простое, чему вы должны научиться, — это набор текста и его печать на бумаге.

Программа Microsoft Word (произносится как «Майкрософт Ворд», сокращенно MS Word) входит в пакет программ Microsoft

Office («Майкрософт Офис»). Версия Office — это версия вашего Word. Так, например, если на компьютере установлен Microsoft Office 2007, то вы будете работать с Microsoft Word 2007.

Если программа Microsoft Office на компьютере не установлена, то и программы Microsoft Word у вас не будет.

Чтобы загрузить программу, нужно нажать кнопку Пуск (щелкнуть один раз) и выполнить команду Все программы ▸ Microsoft Office ▸ Microsoft Office Word 2007 — на экране появится окно программы (рис. 37).

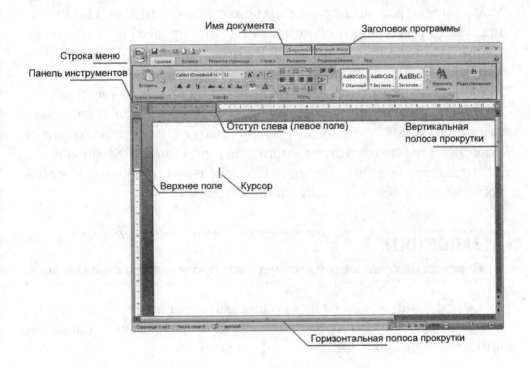

Рис. 37. Окно Microsoft Word

В верхней строке можно прочитать имя документа (по умолчанию компьютер присваивает имена Документ 1, Документ 2 и т. д., потому что файла без имени не может быть).

Строка меню оформлена в виде вкладок (это вроде закладок в книге), активная вкладка появляется со всеми сопутствующими значками на *Панели инструментов*. В нашем случае (см. рис. 37) активной является вкладка **Главная**, так как она выделена более ярким цветом.

Основную часть окна программы занимает чистый белый лист. Обратите внимание на вертикальную черту — это курсор. Он указывает место, где будет появляться вводимый вами текст. Границы текста определяют поля (левое, правое, верхнее и нижнее). На иллюстрации (см. рис. 37) левое поле — 3 см, верхнее — 2 см. Правое и нижнее поля не видны. Чтобы их увидеть, нужно воспользоваться полосами прокрутки — нажать ползунок (в вертикальном контрастном прямоугольнике, если хотите увидеть нижнее поле, или горизонтальном, если нужно правое) и, не отпуская кнопку мыши, переместить его вертикально либо горизонтально соответственно. Для медленной прокрутки можно воспользоваться маленькими черными стрелками по краям полос прокрутки. Одно нажатие — это переход на одну строку. Если удерживать эти стрелки, документ будет прокручиваться, пока не закончится либо пока вы не отпустите кнопку мыши. Однако удобнее всего пользоваться колесиком мыши. Обязательно попробуйте все способы, чтобы выбрать самый удобный для вас.

ЗАПОМНИТЕ

Переход на следующую строку (лист) происходит автоматически.

Самое простое, с чего нужно начинать, — набор (ввод) текста. Это поможет вам быстрее привыкнуть к программе, а также запомнить расположение букв на клавиатуре.

Набор текста

Правила набора текста

На бумаге каждый человек пишет своим почерком, а вот печатный текст отображается одинаково, однако всегда при взгляде на документ можно определить, его набирал знающий человек или нет. Все дело в пробелах. Их нужно ставить не там, где хочется, а только там, где нужно. Правила расстановки пробелов следующие.

1. Между словами должен быть только ОДИН пробел.

2. Пробел ставят только ПОСЛЕ таких знаков препинания, как «,», «.», «?», «;», «:» и «!».

Если схематически пробел обозначить символом _, то это правило будет выглядеть так:

Семь_раз_отмерь,_один_отрежь._

3. Различаем тире и дефис. Тире отделяется пробелами с обеих сторон, дефис не отделяется вообще:

черно-белое

Хлеб_ — _всему_голова.

4. Пробел ставят перед тем как открыть скобку (кавычки), и после того, как ее закрывают:

Windows_с_английского_переводится_как_«окна»_

5. Для перехода на новый абзац нажимают Enter. Переход на новую строку происходит автоматически.

Набираем текст

Перед тем как начать набирать (вводить, печатать) текст, нужно проверить, все ли готово к работе.

1. Убедитесь, что курсор (мигающая вертикальная черта) стоит в начале документа. Если ее нет, щелкните в любом месте ЧИСТОГО листа — курсор появится в самом начале.

2. Проверьте язык, активный в данный момент (посмотрите на индикатор в правом нижнем углу экрана): если там RU, можно переходить к следующему пункту, если нет, переключите язык (с помощью кнопки мыши либо сочетанием клавиш).

3. Начинайте вводить текст.

УПРАЖНЕНИЕ

Наберите текст по образцу.

Для удобства используются следующие условные обозначения:

- _ — пробел;
- ◄ — клавиша Enter.

Для набора знаков препинания и исправления ошибок пользуйтесь вспомогательной таблицей.

,	Shift+точка
;	Shift+4
:	Shif+6
!	Shift+1
?	Shift+7
«»	Shift+2
Удалить символ слева	BackSpace
Удалить символ справа	Delete
Переход на новый абзац	Enter

 ПОДСКАЗКА

Перед тем как вводить название стихотворения, нажмите CapsLock, введите слова, а затем отключите. Далее для ввода заглавных букв удобнее применять сочетание Shift+буква.

ДЕДУШКА_МАЗАЙ_И_ЗАЙЦЫ◄◄

Весь_островочек_пропал_под_водой.◄

«То-то!_ — _сказал_я,_ — _не_спорьте_со_мной!◄

Слушайтесь,_зайчики,_деда_Мазая!»◄

Этак_гуторя,_плывем_в_тишине.◄

Столбик_не_столбик,_зайчишко_на_пне,◄

Лапки_скрестивши,_стоит,_горемыка,◄

Взял_я_его_ — _тягота_невелика!◄

Только_что_начал_работать_веслом,◄

Глядь,_у_куста_копошится_зайчиха_ —◄

Еле_жива,_а_толста_как_купчиха!◄

Я_ее,_дуру,_накрыл_зипуном_ —◄

Сильно_дрожала..._Не_рано_уж_было.◄

Мимо_бревно_суковатое_плыло;◄

Сидя,_и_стоя,_и_лежа_пластом,◄

Зайцев_с_десяток_спасалось_на_нем.◄

«Взял_бы_я_вас_ — _да_потопите_лодку!»◄ ◄

Жаль_их,_однако,_да_жаль_и_находку_ —◄

Я_зацепился_багром_за_сучок◄

И_за_собою_бревно_поволок...◄ ◄

Отрывок_из_стихотворения_Н. А. Некрасова

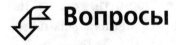 Вопросы

Как научиться быстро набирать текст?

Во-первых, если вы будете много печатать, то запомните расположение букв и станете набирать текст быстрее. Во-вторых, хочу обратить ваше внимание на такую особенность: буквы, которые чаще других встречаются в языке, находятся в центре клавиатуры, а те, которыми мы пользуемся достаточно редко, —

по бокам. Так, например, буквы Ъ, З, Э, Ю, Й, Ф, Ы, Ц расположены по правому и левому краям клавиатуры, а буквы А, О, П, Р, Н, И, М — по центру. В-третьих, есть специальные программы, которые помогают освоить «слепую» печать, то есть набор текста, не глядя на клавиатуру. Однако, несмотря на простоту таких приложений, нужны постоянные тренировки и огромное терпение. Будьте готовы, что это затянется минимум на месяц.

Кстати, именно из-за «слепого» набора клавиши расположены именно так: более подвижным пальцам — указательным и средним — достались центральные, а те, которыми нам сложнее управлять — мизинцы, безымянные, — нажимают минимум клавиш, которые расположены с краю. Большим пальцам достался пробел.

Примеры программ для изучения «слепого» метода печати — «Соло на клавиатуре» и Stamina (каждая имеет достоинства и недостатки; попробуйте обе и выберите подходящую вам).

Нажимаю на клавиатуре буквы, а они не появляются.

Скорее всего, вы пользовались мышью и забыли вернуть курсор «на место». Посмотрите, если у вас на листе нет курсора, то проблема в этом и нужно щелкнуть в том месте листа, где вы хотите вводить текст.

Если же курсор на месте и перемещается, а букв не видно, то, возможно, у вас выбран белый цвет шрифта.

Печатаю текст, но вместо строчных букв все заглавные.

У вас нажат CapsLock. Его необходимо выключить, то есть нажать еще раз. Если CapsLock включен, горит первая лампочка в правом верхнем углу клавиатуры.

Нажимаю Shift и букву, а вместо заглавной получается строчная.

У вас нажат CapsLock. Отключите его.

Хочу исправить ошибку в слове, нажимаю клавишу, появляется новая буква, но исчезает следующая.

У вас нажата клавиша Insert. Чтобы отключить режим замены, нужно нажать ее еще раз.

Создание нового документа

Если в данный момент вы работаете с одним документом, а вам необходимо создать еще один, новый, следует нажать кнопку Office и выполнить команду Создать ▶ Новый документ или еще проще — нажать кнопку Создать , если она есть на панели быстрого доступа (в левом верхнем углу окна программы).

ЗАПОМНИТЕ
Чтобы перейти от одного документа к другому, нужно найти его имя в самом низу экрана и щелкнуть на нем.

УПРАЖНЕНИЕ

Создайте новый документ и наберите в нем текст по образцу.

СОВА

Мудрейшая птица на свете — сова. Все слышит, но очень скупа на слова.

Чем больше услышит — тем меньше болтает. Ах, этого многим из нас не хватает!

Редактирование текста

Когда вы набираете текст, программа автоматически сообщает, если вы сделали ошибку. Так, красная волнистая линия говорит о том, что в слове есть орфографическая ошибка, а волнистая зеленая — что, возможно, вы пропустили знак препинания или не закрыли скобку. Случается, что красной линией компьютер подчеркивает слова, проверив которые, вы не находите ошибок, но это, как правило, имена собственные (фамилии, редкие имена и названия). Все слова компьютер проверяет, сравнивая со словами, находящимися в его словаре, поэтому вполне возможно, что фамилия Иванов как очень распространенная подчеркнута не будет, а вот Иванчик, скорее всего, компьютер выделит.

Если компьютер подчеркнул слово красной волнистой линией, то ошибку можно исправить вручную, то есть поставить курсор в нужное место и удалить лишнюю (или неправильную) букву или дописать нужную. Если же вы не знаете, как пишется данное слово, достаточно щелкнуть НА СЛОВЕ правой кнопкой мыши и выбрать слово из вариантов, который предлагает компьютер. Неправильное слово будет заменено АВТОМАТИЧЕСКИ.

ЗАПОМНИТЕ

Не всегда в предложенном компьютером списке есть правильный вариант слова. В этом случае ошибку (если она есть) нужно исправить самостоятельно.

Кроме вышеописанного способа ошибки можно исправлять вручную — удалять лишние буквы или вставлять недостающие. Напомню, что здесь удобно пользоваться клавишами управления курсором (стрелками) и ДВУМЯ клавишами для удаления символов — Delete или BackSpace (в зависимости от положения курсора).

ПРИМЕР

Исправим ошибки в следующем предложении:

Стлица Великобритании — лондон.

Сначала вставим пропущенную букву в слове «столица»: ставим курсор ст|лица и вводим букву о. Она должна появитьсяв указанном курсором месте.

Исправим ошибку в слове «Лондон». Сначала удалим букву л.

Способ 1: ставим курсор |лондон и нажимаем Delete.

Способ 2: ставим курсор л|ондон и нажимаем BackSpace.

Теперь можно вставить букву Л. Делаем это с помощью комбинации Shift+л.

 # Вопросы

Будет ли видно подчеркивание красной или зеленой волнистой линией при печати документа? Как убрать это подчеркивание?

Основное назначение выделения слов и предложений красной или зеленой волнистой линией — привлечение вашего внимания. При печати документа эти линии видны НЕ БУДУТ. Если же вы уверены, что ошибок в тексте нет, а линии вас раздражают, их можно убрать: нажать правую кнопку мыши на выделенном слове и выполнить команду Пропустить. Если, к примеру, компьютер выделяет подчеркиванием фамилию, которая встречается в документе несколько раз, то на одном таком слове следует нажать правую кнопку мыши и выполнить команду Пропустить все — компьютер автоматически отменит выделение ВСЕХ таких слов, встречающихся в документе.

....

ЗАПОМНИТЕ

Если выделенные слова отличаются хотя бы одной буквой, то для компьютера это уже РАЗНЫЕ слова. Например, слова «Колестник» и «Колестника» для вас обозначают одного человека, но для компьютера это два различных слова, и команда Пропустить все не сработает.

....

117

Сохранение документа

Сохранить или Сохранить как

В какой бы программе вы ни работали, создавая или изменяя информацию, ее понадобится сохранять. Для сохранения в КАЖДОЙ программе есть две команды — Сохранить и Сохранить как. Следует пояснить, в чем состоит их различие.

В зависимости от ситуации нужно пользоваться той или другой командой.

- Вы создали НОВЫЙ файл, и теперь нужно его сохранить. Здесь можно пользоваться любой командой — Сохранить или Сохранить как. В любом случае необходимо указать имя сохраняемого файла и папку, в которой он будет храниться.

- Вы открыли файл и внесли в него изменения (например, открыли текст и дописали в него несколько строк), а теперь хотите сохранить эти изменения В ТОМ ЖЕ ФАЙЛЕ и ПОД ТЕМ ЖЕ ИМЕНЕМ. В данной ситуации нужна команда Сохранить, которая (по умолчанию) сохранит внесенные изменения. После ее выполнения первоначально открытый файл заменится этим же, но уже с внесенными изменениями.

- Вы ОТКРЫЛИ ФАЙЛ, внесли в него изменения и хотите, чтобы это был уже НОВЫЙ файл. Например, вы открыли отчет за 2009 год, исправили и хотите сохранить его уже как отчет за 2010 год. В такой ситуации выполните команду Сохранить как — появится окно, в котором вы должны будете указать НОВОЕ ИМЯ файла и папку, куда он будет сохранен. После выполнения этой команды у вас будет два файла — отчет за 2009 год (без изменений) и отчет за 2010 год.

118

Сохранение документа

Если вы только что создали документ (набрав стихотворение, вы его создали), то его нужно ОБЯЗАТЕЛЬНО сохранить.

Прочитайте еще раз внимательно раздел «Сохранить или Сохранить как» — в нем подробно описано, в каких случаях следует использовать каждую из этих команд.

ЗАПОМНИТЕ

При сохранении документа в первый раз можно использовать любую команду — Сохранить или Сохранить как.

Для сохранения НОВОГО документа выполните следующие действия.

1. Нажмите кнопку Office [icon] в верхнем левом углу окна программы.

2. В меню (списке команд) выберите Документ Word.

3. В появившемся окне (рис. 38) укажите имя файла, его тип (расширение) и папку (в которую сохраняете).

- Имя файла (документа) уже выделено, поэтому сначала нажмите Delete (удалите название, присвоенное компьютером автоматически), а затем введите свое. Прежде чем печатать, убедитесь, что курсор находится в поле Имя файла.

- Тип файла — здесь возможны готовые варианты. Откройте список Тип файла (нажмите стрелку справа) — появляется список расширений, которые можно присвоить сохраняемому документу.

ЗАПОМНИТЕ

Если и дома, и на работе вы используете с Microsoft Word 2007, то можете сохранять документ с расширением .docx. Только помните, что такой формат читает (распознает) только Microsoft

Word 2007. В более старых версиях (например, Microsoft Word 2003) документ с таким расширением вы открыть не сможете, поэтому если нужно будет открывать документ на другом компьютере и вы не уверены, что там тоже установлена программа 2007 года, то выберите расширение .doc — оно универсально и будет распознано в любой версии программы Microsoft Word.

- Папка — здесь нужно выбрать папку, в которую будет сохранен документ. Можно воспользоваться стрелкой списка (нажать ее) — появится дерево папок, и вы сможете перейти на нужный диск. Когда в окне отобразятся подкаталоги, зайдите в нужный, открыв его двойным щелчком (действуйте так, как вы делали в Моем компьютере). Можно также изначально щелкнуть Мой компьютер слева — появятся все диски, и дальше делать то, что описано выше.

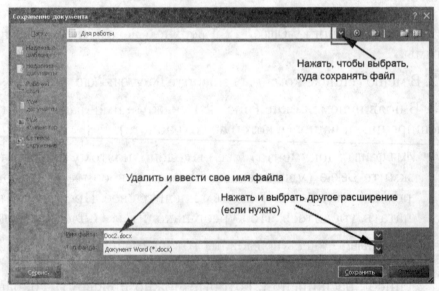

Рис. 38. Окно сохранения документа

4. Нажмите Сохранить.

5. Закройте документ (щелкните на крестике в правом верхнем углу).

ПРИМЕР

Сохраним созданный в предыдущем упражнении документ под именем Сова.doc в папке, которая находится по адресу D:\Тексты.

1. Нажмите кнопку Office 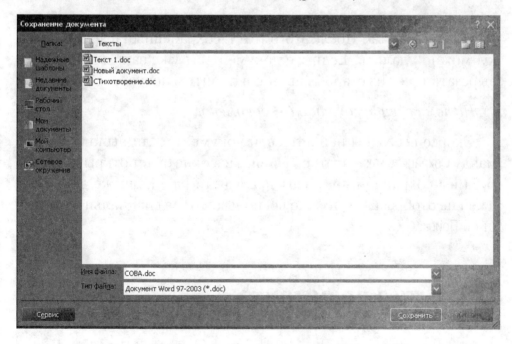 и выполните команду Сохранить как ▸ Документ Word.

2. Компьютер автоматически присвоил документу имя СОВА.docx (просто взял первую строку набранного текста). Название правильное, а расширение — нет. Выберите из списка Тип файла пункт Документ Word 1998-2003 (*.doc). Обращаю ваше внимание: МОЖНО было оставить и расширение .docx.

3. Укажите заданную папку. Сначала нажмите Мой компьютер (слева в окне). Затем дважды щелкните на диске D: — отобразятся все папки, которые находятся на нем. Найдите среди них Тексты и дважды щелкните на этом каталоге (рис. 39).

Рис. 39. Сохраняем документ в папку Тексты

4. Нажмите Сохранить.

УПРАЖНЕНИЕ

Сохраните отрывок из стихотворения «Дедушка Мазай и зайцы» в папке D:\Тексты под именем Некрасов.docx.

Вопросы

Что делать, если при попытке сохранить файл появляется сообщение, что файл с таким именем уже существует?

Если старый файл (который уже есть на диске) вам не нужен, можете нажать Заменить, тогда на место старого файла будет записан новый. Если же вам нужны оба файла, лучше нажать Отмена, а затем сохранить новый файл под другим именем.

Я сохранил(а) текст не туда, куда нужно.

Если текст открыт, нужно сохранить его еще раз, выполнив команду Сохранить как. После этого текст, сохраненный в другую папку, можно удалить. Если же документ вы уже закрыли, следует вырезать текст из старой папки и вставить в новую.

Не помню, куда сохранил(а) документ.

Скорее всего, вы найдете свой документ, если выполните команду Сохранить как — в отобразившемся окне будет открыта папка, куда вы сохраняли документ последний раз. Если же документ в ней не отобразился, нужно воспользоваться специальной функцией Поиск.

Открытие документа

Открыть документ можно несколькими способами. Во-первых, можно открыть Мой компьютер, зайти в папку, в которой хранится документ, дважды щелкнуть на нем (или щелкнуть один раз и нажать Enter), и он автоматически загрузится (откроется). Как уже было сказано, компьютер сам (по расширению) поймет, что для загрузки этого документа нужна программа Microsoft Word.

Во-вторых, если вы уже загрузили Word, то открыть необходимый документ можно следующим образом.

Способ 1: нажать кнопку Office и выполнить команду **Открыть**. В отобразившемся окне (рис. 40) слева нажмите **Мой компьютер** и перейдите в папку, где находится документ, который нужно открыть. В открытом каталоге выделите документ (щелкните на нем) и нажмите кнопку **Открыть**. Можно просто дважды щелкнуть на названии открываемого файла.

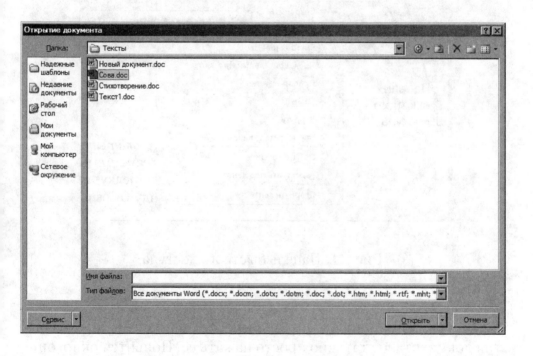

Рис. 40. Окно открытия документа

Способ 2: кнопку открыть *можно вынести на панель быстрого доступа, которая находится в самом верху окна программы Word (рис. 41).* Для этого нужно нажать правую стрелку на панели

123

быстрого доступа и в открывшемся меню выполнить команду Открыть.

ЗАПОМНИТЕ

В этом списке флажками отмечены команды, которые уже вынесены на панель. Чтобы убрать какую-либо команду, нужно снять ее флажок — щелкнуть на ней.

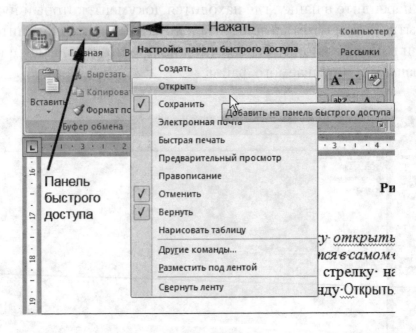

Рис. 41. Панель быстрого доступа

Теперь, когда кнопка Открыть вынесена на панель, для открытия документа достаточно просто нажать ее. Появится окно, описанное в способе 1 (см. рис. 40).

ПРИМЕР

Откроем документ Сова.doc, находящийся в папке D:\ Тексты.

124

Щелкните на кнопке Открыть 🖼. В появившемся окне нажмите Мой компьютер, дважды щелкните на диске D:, а затем — на папке Тексты. Сейчас вы видите документ Сова.doc — щелкните на нем ОДИН раз (выделите его) и нажмите Открыть.

⤲ Вопросы

Как открыть сразу несколько документов?

Сначала нужно выделить группу документов (см. раздел «Выделение группы файлов»), а затем воспользоваться одним из следующих вариантов действий.

Способ 1: нажать Enter.

Способ 2: выполнить команду меню Файл ▶ Открыть.

Способ 3: щелкнуть на любом ВЫДЕЛЕННОМ файле правой кнопкой мыши и выполнить команду Открыть.

Как посмотреть последний открытый документ?

В программе Word предусмотрена удобная функция — запоминание последних открытых документов. Так, если вы работали с документом, сохранили и закрыли его, а потом вспомнили, что что-то не дописали, его можно быстро открыть таким образом: нажмите кнопку Office — в появившемся меню будет список Последние документы. В нем щелкните на имени нужного документа.

Работа со строками

Разрезание текста на строки

Чтобы разбить строку текста на две, нужно выполнить следующие действия.

1. Установить курсор (подвести указатель и НАЖАТЬ левую кнопку мыши) там, где должна заканчиваться первая строка.

2. Нажать Enter.

Хлеб — всему голова. | Тише едешь — дальше будешь.

Вставка пустой строки

Вставить пустые строки можно следующим образом.

1. Установить курсор в конце той строки, ПОСЛЕ которой нужно вставить пустую (или в НАЧАЛЕ той, перед которой нужна пустая строка).

2. Нажать Enter. Эту клавишу можно нажимать несколько раз — пустых строк появится столько, сколько раз вы ее нажали.

Хлеб — всему голова. |

Тише едешь — дальше будешь.

Удаление пустых строк
(склейка строк)

Способ 1: установить курсор в КОНЦЕ той строки, к которой нужно «приклеить» другую, и нажать Delete. Нажимать эту клавишу нужно столько раз, сколько пустых строк вы хотите удалить или пока обе строки не «склеятся».

Хлеб — всему голова. |

Тише едешь — дальше будешь.

Способ 2: установить курсор в НАЧАЛЕ той строки, к которой нужно приклеить другую, и нажать BackSpace. Нажмите эту клавишу столько раз, сколько пустых строк требуется удалить или пока обе строки не склеятся.

Хлеб — всему голова.

| Тише едешь — дальше будешь.

УПРАЖНЕНИЕ

Разрежьте текст `Сова.doc` на строки, приведите его к следующему виду.

СОВА

Мудрейшая птица на свете —

Сова.

Все слышит,

Но очень скупа на слова.

Чем больше услышит —

Тем меньше болтает.

Ах, этого многим из нас

Не хватает!

Не забудьте, что в стихотворении все строки начинаются с заглавной буквы. Сохраните изменения в документе.

 ПОДСКАЗКА

СОВА |

Мудрейшая птица на свете — | Сова. |

Все слышит, | но очень скупа на слова. |

Чем больше услышит — | тем меньше болтает. | Ах, этого многим из нас | не хватает!

ЗАПОМНИТЕ

Чтобы сейчас сохранить внесенные изменения в документе Сова.doc, достаточно щелкнуть ⊞ или нажать кнопку Office 🅾 и выполнить команду Сохранить.

В результате должен получиться следующий текст.

СОВА

Мудрейшая птица на свете —

Сова.

Все слышит,

но очень скупа на слова.

Чем больше услышит —

тем меньше болтает.

Ах, этого многим из нас

не хватает!

Делаем все буквы в начале строки заглавными: «но очень скупа на слова» — ставим курсор н|о и нажимаем Backspace (буква н исчезает). Нажимаем Shift+н — получаем букву Н.

Можно было исправить букву и другим способом: установить курсор |но, нажать Delete (буква н исчезает) и затем нажать Shift+н — получаем букву Н.

Остальные буквы исправляются аналогичным образом.

Чтобы сохранить изменения в документе, нужно нажать кнопку Office и выполнить команду Сохранить или щелкнуть на кнопке 🖫 на панели быстрого доступа (левый верхний угол).

Работа с фрагментом текста

Над фрагментом текста можно выполнять следующие действия:

- копировать;
- перемещать;
- удалять.

Главное — вы должны запомнить: перед выполнением какого-либо действия нужно сначала ВЫДЕЛИТЬ ФРАГМЕНТ, который вы будете копировать, перемещать (вырезать) или удалять.

Операции копирования и перемещения отличаются тем, что после копирования выделенного фрагмента он остается в тексте и появляется в памяти компьютера, а если вы выполнили команду Вырезать (для перемещения), то фрагмент исчез из текста, но находится в памяти компьютера.

ПОВТОРИМ

Скопировать (вырезать) фрагмент достаточно один раз, а вставить его после этого можно много раз — он будет оставаться в памяти компьютера, пока вы не скопируете другую часть текста.

Выделение

Для работы с текстом важным является умение выделять фрагмент текста, например одно слово или целый абзац. Для выполнения этого действия есть несколько способов. Ваша задача — выбрать для себя самый удобный.

Есть два универсальных способа выделения фрагмента текста.

Способ 1: с помощью мыши. Подведите указатель мыши к началу фрагмента, нажмите левую кнопку и, удерживая ее, тяните до конца фрагмента. Отпустите кнопку мыши — выделенный фрагмент приобретет темный фон.

ЗАПОМНИТЕ

Несмотря на кажущуюся легкость описанного способа, на начальном этапе пользователи встречаются со сложностью: выделенные фрагменты «летают». Это происходит потому, что если вы выделили фрагмент, отпустили кнопку мыши, а потом еще раз нажали и попытались продолжить выделение, то вместо этой операции выделенный фрагмент «полетит» за мышью.

Помните: если вам не удалось таким способом выделить весь фрагмент, то «довыделить» оставшуюся часть не получится. Нужно отменить выделение — щелкнуть на ЛЮБОМ НЕВЫДЕЛЕННОМ тексте — и начать выделять заново.

Способ 2: с помощью клавиатуры. Установите курсор в начало фрагмента (подведите к нему указатель мыши и щелкните), затем нажмите клавишу Shift и удерживайте ее (пальцем одной руки), а другой рукой (свободной) нажимайте клавиши ←, ↑, →, ↓ (в зависимости от того, какой фрагмент вы выделяете). Когда нужный фрагмент будет выделен, Shift можно отпустить.

ЗАМЕЧАНИЕ

Этот способ самый простой, главное — запомнить сочетание клавиш. В дальнейшем предпочтительно прибегать к способу 1.

УПРАЖНЕНИЕ

Откройте любой документ и проверьте оба способа.

Кроме универсальных, есть специфические способы, которые используются для выделения определенных фрагментов, таких как слово, абзац, весь текст и строка.

Выделение слова — двойной щелчок кнопкой мыши внутри слова (нажимать нужно быстро).

Выделение абзаца — тройной щелчок кнопкой мыши внутри абзаца (нажимать кнопку мыши три раза нужно как можно быстрее, с минимальным интервалом).

Выделение всего текста возможно двумя методами.

Способ 1: сочетание клавиш Ctrl+A.

Способ 2: выделить первое слово (любым методом — с помощью клавиатуры или мыши), прокрутить документ до конца, нажать Shift и, удерживая его, щелкнуть кнопкой мыши в конце последнего слова.

Выделение строки также возможно с помощью нескольких методов.

Способ 1: установить курсор в начало строки и нажать Shift+End.

Способ 2: поставить курсор в конец строки и нажать Shift+Home.

Способ 3: самый простой и одновременно сложный. Нужно подвести указатель мыши к строке СЛЕВА за границей текста — так, чтобы стрелка оставалась стрелкой. Если вы все сделали правильно, то после нажатия левой кнопки мыши выделится вся строка, напротив которой находится указатель. Чтобы выделилась только одна строка, достаточно нажать и отпустить левую кнопку мыши. Удерживая нажатой кнопку мыши и двигая ее вверх или вниз (при этом оставаясь ЗА границей текста), можно выделить несколько строк. Схематически этот способ выглядит так (рис. 42).

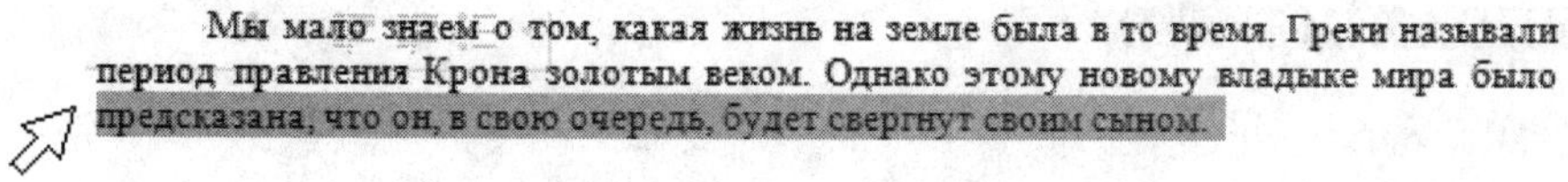

Мы мало знаем о том, какая жизнь на земле была в то время. Греки называли период правления Крона золотым веком. Однако этому новому владыке мира было предсказана, что он, в свою очередь, будет свергнут своим сыном

Рис. 42. Один из способов выделения строки

УПРАЖНЕНИЕ

Откройте любой сохраненный документ и испробуйте все способы.

Копирование

Кратко выполнение этой операции можно сформулировать так: выделить — копировать — вставить. Вы можете скопировать любой фрагмент текста (даже один символ), а затем вставлять его, опять же, в любое место на листе — пока не скопируете новый фрагмент.

Последовательность действий при копировании следующая.

1. Выделите фрагмент.

2. Скопируйте его.

Способ 1: кнопка 🖺 *на панели инструментов.*

Способ 2: правой кнопкой мыши щелкните на выделенном фрагменте и выполните команду Копировать.

Способ 3: сочетание клавиш Ctrl+C.

3. ОЧЕНЬ ВАЖНЫЙ ЭТАП: установите курсор в то место, куда будете вставлять фрагмент.

4. Вставьте фрагмент.

Способ 1: кнопка Вставить *на панели инструментов.*

Способ 2: правой кнопкой мыши щелкните на том месте, куда хотите вставить фрагмент, и выполните команду Вставить.

Способ 3: сочетание клавиш Ctrl+V.

Перемещение

По-другому можно сказать, что мы выполняем операцию вырезания фрагмента (так как после выполнения основной команды выделенный фрагмент исчезает). Схематически перемещение выглядит так: выделить — вырезать — вставить. Рассмотрим полую последовательность действий.

1. Выделите фрагмент.

2. Вырежьте его одним из приведенных далее методов:

Способ 1: кнопка ✂ *на панели инструментов.*

Способ 2: правой кнопкой мыши щелкните на выделенном фрагменте и выполните команду Вырезать.

Способ 3: сочетание клавиш Ctrl+X.

3. ОЧЕНЬ ВАЖНЫЙ ЭТАП: установите курсор в то место, куда будете вставлять фрагмент.

4. Вставьте фрагмент одним из следующих способов.

Способ 1: кнопка Вставить *на панели инструментов.*

Способ 2: правой кнопкой мыши щелкните на том месте, куда хотите вставить фрагмент, и выполните команду Вставить.

Способ 3: сочетание клавиш Ctrl+V.

ЗАПОМНИТЕ

Есть еще один способ перемещения фрагмента текста, но при его использовании нужно быть очень внимательными: выделите фрагмент, подведите к нему указатель мыши, нажмите левую кнопку и, не отпуская ее, тащите фрагмент в нужное место, причем место вставки перетаскиваемой части текста будет указываться вертикальной пунктирной чертой.

Удаление

Это, наверное, самая простая операция. Конечно, можно удалить несколько символов с помощью клавиш Delete или BackSpace, но это если символов мало. Если же необходимо удалить предложение, еще больший фрагмент или весь текст, удобнее это сделать так.

1. Выделите фрагмент (не забывайте о специальных способах выделения слова, строки, абзаца и всего текста).

2. Нажмите Delete.

ЗАПОМНИТЕ

Если у вас в тексте выделен фрагмент, а вы нажали какую-то букву на клавиатуре, то этот фрагмент исчезнет и появится нажатая буква (выделенная часть текста заменится на символ). Это нужно помнить, потому что если вам, например вместо выделенного слова нужно напечатать другое, то можно выделить ненужное и начать вводить новое слово — замена произойдет автоматически.

УПРАЖНЕНИЕ

Наберите текст. Повторяющиеся фрагменты копируйте. Сохраните документ под именем Дом Джека.docx.

ДОМ, КОТОРЫЙ ПОСТРОИЛ ДЖЕК

Вот дом,

Который построил Джек.

А это пшеница,

Которая в темном чулане хранится

В доме,

Который построил Джек.

А это веселая птица-синица,

Которая часто ворует пшеницу,

Которая в темном чулане хранится

В доме,

Который построил Джек.

Вот кот,

Который пугает и ловит синицу,

Которая часто ворует пшеницу,

Которая в темном чулане хранится

В доме,

Который построил Джек.

Вот пес без хвоста,

Который за шиворот треплет кота,

Который пугает и ловит синицу,

Которая часто ворует пшеницу,

Которая в темном чулане хранится

В доме,

Который построил Джек.

☝ ПОДСКАЗКА

Откройте Word. Если программа у вас открыта, создайте новый документ. Нажмите CapsLock и напечатайте название. Отключите CapsLock. Сначала введите следующий фрагмент:

```
ДОМ, КОТОРЫЙ ПОСТРОИЛ ДЖЕК

Вот дом,

Который построил Джек.

А это пшеница,

Которая в темном чулане хранится

В доме,
```

Здесь удобно скопировать строку: выделите **Который построил Джек**, нажмите кнопку ▥, установите курсор в начало новой строки и нажмите ▤ Вставить.

Затем напечатайте две новые строки:

```
А это веселая птица-синица,

Которая часто ворует пшеницу,
```

Далее можно скопировать уже набранные три строки:

Которая в темном чулане хранится

В доме,

Который построил Джек.

Делайте это по аналогии с предыдущей скопированной строкой.

Сохраните: кнопка **Office** ▶ **Сохранить** (или **Сохранить как**).

☞ Вопросы

Выделенный фрагмент текста «улетел» в другое место.

Скорее всего, вы просто его случайно переместили. Чтобы вернуть текст на прежнее место, нужно отменить выполненное действие (нажать Отменить ↺ или Ctrl+Z).

Выделенный фрагмент исчез.

Вероятнее всего, вы по неосторожности нажали какую-либо клавишу на клавиатуре, поэтому лучше просто отменить действие: нажать ↺ на панели инструментов или сочетание Ctrl+Z.

Форматирование текста

Стандартного оформления текста часто недостаточно — хочется сделать какие-то слова, например заголовки, больше и жирнее, а что-то выделить курсивом или шрифтом другого цвета. Изменение формы представления текста и называется *ФОРМАтированием*. Посмотрим, как это работает.

....

ЗАМЕЧАНИЕ

Если вам нужно красиво оформить текст, который вы еще не набирали, то порядок действий должен быть следующим: набираете ПОЛНОСТЬЮ текст, и только когда ВЕСЬ текст набран, приступаете к оформлению. Поясню, почему так. Например, вы набрали название и выбрали для него шрифт — красный, полужирный и 16-го размера. Далее вам нужно перейти на другую строку и печатать текст уже черным шрифтом 14-го размера. Вы ставите курсор туда, где его «оставили» — в конец названия (между прочим, в другое место вы не сможете его поставить) — и нажимаете Enter. Начинаете печатать, а текст вводится красным, полужирным и 16-го размера шрифтом! Что делать? Нужно отключать включенное форматирование — «отжимать»

Ж, выбирать черный цвет и 14-й размер букв. Согласитесь, это крайне неудобно.
....

Важно помнить, что, перед тем как начать что-то делать с фрагментом, его нужно ВЫДЕЛИТЬ. Об этом часто забывают. Компьютер — это в первую очередь машина, и ему нужно указать конкретный объект (в данном случае — часть текста или слово), с которым он будет работать.

Сначала рассмотрим инструменты, которые соответствуют наиболее часто выполняемым операциям.

В самом верху экрана располагается меню. Каждый его пункт — это вкладка, на которой находится множество элементов. В данный момент нас интересует вкладка **Главная**. Значков на панели очень много и сразу запомнить их невозможно, но если вы не будете спешить, а аккуратно подведете указатель мыши к какому-либо элементу и подождете несколько секунд, появится подсказка и вы поймете, какое действие выполняет данный инструмент.

Итак, кусок текста выделен, берем в руки мышь и начинаем знакомиться с элементами.

Times New Roman — это шрифт (изменение шрифта). Справа есть маленький черный треугольник, который ВСЕГДА означает, что это список. Нажмите этот треугольник — появится список шрифтов. Список будет довольно большим, поэтому удобно воспользоваться колесиком мыши или потянуть ползунок на полосе прокрутки. Обилие шрифтов может заставить растеряться любого, но все просто. Каждое название шрифта написано именно так, как будет выглядеть ваш выделенный фрагмент после применения шрифта. Чтобы выбрать понравившийся шрифт, достаточно щелкнуть на его названии. Стандартный шрифт, которым печатают все документы, — Times New Roman.

12 — это размер букв. Возможно, вы увидите другое значение, но важно то, что это поле имеет список (стрелка позволяет выбрать другой размер шрифта). Стандартным считается 14-й

размер. Вы можете также поставить курсор (щелкнуть кнопкой мыши) в этом поле, удалить 12 и ввести свое значение.

Ж К Ч · abc — полужирный, курсив, подчеркнутый, зачеркнутый. Вы можете выбрать как один из вариантов, так и их комбинацию, например сделать выделенный текст полужирным курсивом. Чтобы выбрать какой-либо вариант, нужно просто нажать соответствующую кнопку.

Ниже приведены еще некоторые инструменты (табл. 2).

Таблица 2. Инструменты форматирования

Инструмент	Действие
	Выравнивание текста. Это действие будет применено ко всему абзацу, поэтому необязательно выделять его — достаточно установить курсор в его середине. Ориентируясь по кнопке, можно без труда выбрать нужный вариант: выравнивание по левому краю, по центру, по правому краю либо по ширине листа соответственно
	Междустрочный интервал. Расстояние между строками абзаца, в котором находится курсор, будет больше. Размер интервала можно выбрать, нажав черную стрелку
	Выделение цветом. Позволяет оформить цветом фон ВЫДЕЛЕННОГО фрагмента. Черная стрелка — для выбора цвета фона
	Цвет шрифта. Позволяет изменить цвет букв ВЫДЕЛЕННОГО фрагмента. Черная стрелка — для выбора цвета шрифта

Если вы выбрали форматирование (нажали какие-то кнопки), то вы можете увидеть, что они находятся в нажатом состоянии — выделены рамкой или «горят» ярче. Чтобы отменить выбранное вами оформление фрагмента текста, нужно опять его выделить, а затем «отжать» (отключить) все нажатые кнопки.

УПРАЖНЕНИЕ

Откройте документ Некрасов.docx и оформите текст следующим образом.

ДЕДУШКА МАЗАЙ И ЗАЙЦЫ

Весь островочек пропал под водой.

«То-то! — сказал я, — не спорьте со мной!

Слушайтесь, зайчики, деда Мазая!»

Этак гуторя, плывем в тишине.

Столбик не столбик, зайчишко на пне,

Лапки скрестивши, стоит, горемыка,

Взял я его — тягота невелика!

Только что начал работать веслом,

Глядь, у куста копошится зайчиха —

Еле жива, а толста как купчиха!

Я ее, дуру, накрыл зипуном —

Сильно дрожала... Не рано уж было.

Мимо бревно суковатое плыло;

Сидя, и стоя, и лежа пластом,

Зайцев с десяток спасалось на нем.

«Взял бы я вас — да потопите лодку!»

Жаль их, однако, да жаль и находку —

Я зацепился багром за сучок

И за собою бревно поволок...

Отрывок из стихотворения Н. А. Некрасова

 ПОДСКАЗКА

ДЕДУШКА МАЗАЙ И ЗАЙЦЫ — шрифт **Ж**, размер **14**, выравнивание по центру .

139

Прямая речь — курсивом (К).

Отрывок из стихотворения Н. А. Некрасова — шрифт Ж, размер 12, выравнивание по правому краю ▤.

Чтобы сохранить изменения, следует нажать кнопку Office и выполнить команду Сохранить.

На самом деле возможностей для оформления текста значительно больше, а на панель инструментов вынесены только те, которые чаще всего нужны пользователю.

Для работы с текстом нужно также знать две кнопки — в правом нижнем углу групп инструментов Шрифт и Абзац. После нажатия каждой из них появится окно, в котором отображены ВСЕ возможности форматирования шрифта и абзаца соответственно (рис. 43).

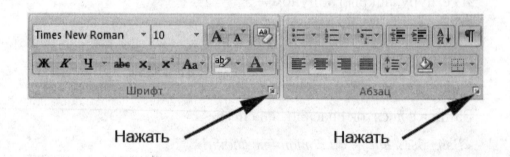

Рис. 43. Кнопки групп Шрифт и Абзац

При нажатии кнопки группы Шрифт появится следующее окно (рис. 44).

Здесь можно выбирать как размер шрифта, так и различные типы подчеркивания, зачеркивание и т. д. Отмечу, что так оформлять текст удобнее, так как внизу этого окна есть область Образец, в которой сразу отображается результат и, если он вам не нравится, можно выбрать что-то другое. Установленное вами оформление текста компьютер применит только после нажатия кнопки OK. Если вы передумали, достаточно нажать Отмена.

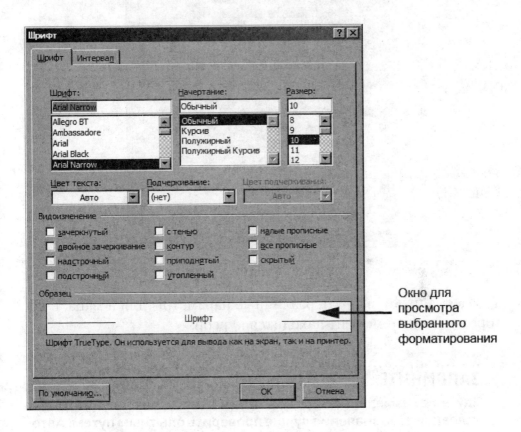

Окно для просмотра выбранного форматирования

Рис. 44. Окно Шрифт

При нажатии кнопки группы Абзац появится следующее окно (рис. 45).

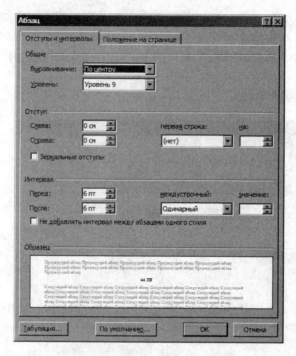

Рис. 45. Окно Абзац

Здесь можно выбрать различные параметры для абзаца, в котором в данный момент находится курсор.

ЗАПОМНИТЕ

Единица измерения здесь — пт (читается как «пункт»). Она условная, и ее значение лучше проверить опытным путем. Автоматически (при нажатии стрелки) может быть 6, 12 , 18 пт и т. д. Разницу между 6 и 8 пт вы вряд ли различите, а вот 12 пт — это уже достаточно существенный (видимый) интервал.

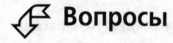 # Вопросы

Как быстро привести весь текст к единому виду?

Текст нужно выделить (Ctrl+A), затем нажать Шрифт (вкладка Главная), в появившемся окне «отключить» все включенные функции (они будут обозначены флажками) и выбрать нужные. Аналогично действовать, нажав **Абзац** (также **Главная**).

Размещение текста на странице

Чтобы лучше понять, о чем пойдет речь, нужно открыть уже готовый документ, в котором есть хотя бы один абзац текста. Будем считать, что требуемый документ открыт.

Сверху и слева листа находятся две линейки. Верхняя показывает правую и левую границы текста, а также отступ красной строки. Правая и левая границы с краев выделены более темным цветом. На границе темного и светлого есть специальные маркеры (треугольники), которые отвечают за правую и левую границы КОНКРЕТНОГО фрагмента текста. Как правило, маркеры находятся на границе светлой и темной частей линейки (рис. 46). Один маркер важно знать — это ЛЕВЫЙ ВЕРХНИЙ маркер. Он задает отступ красной строки.

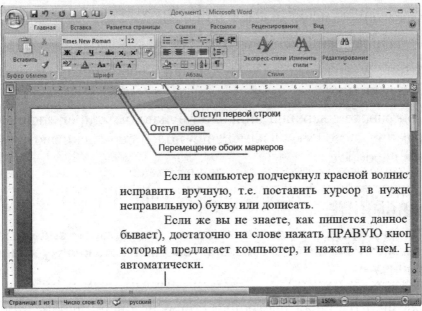

Рис. 46. Вид страницы текста

143

УПРАЖНЕНИЕ

Выделите абзац текста и с помощью кнопки мыши переместите верхний треугольник вправо по линейке к значению 1,5.

Когда вы отпустите кнопку мыши, красные строки всех выделенных абзацев отступят на 1,5 см.

ЗАПОМНИТЕ

Эти маркеры (треугольники) очень маленькие, поэтому указатель мыши нужно подводить к ним точно, иначе вы не получите результата.

Вверху и внизу на вертикальной линейке указаны отступы верхнего и нижнего полей листа.

Все поля (левое, правое, нижнее и верхнее) можно менять вручную. Для этого нужно подвести стрелку к границе темной и светлой частей линейки, причем указатель мыши должен изменить вид на:

↔ — если вы меняете левое или правое поле;

↕ — если вы изменяете верхнее или нижнее поле.

Затем, удерживая кнопку мыши, необходимо двигаться ВДОЛЬ линейки.

При работе с верхней линейкой нужно быть предельно аккуратными — часто вместо изменения полей перетаскиваются маркеры и наоборот.

ЗАПОМНИТЕ

Сначала нужно поймать положение, при котором вид указателя мыши изменится, и только потом нажимать кнопку и тащить границу.

Как видите, такая настройка полей не очень удобна. Лучше воспользоваться другим, более простым способом.

Перейдите на вкладку **Разметка страницы** и выполните команду **Поля ▸ Настраиваемые поля**.

В окне параметров страницы (рис. 47) введите значения верхнего, левого, нижнего и правого полей в соответствующие поля: можно поставить курсор, удалить старое значение и ввести новое, а можно воспользоваться списками (нажать стрелку в поле справа).

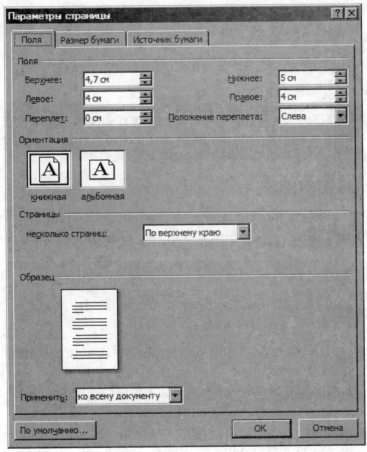

Рис. 47. Окно Параметры страницы

Нажмите кнопку OK.

ЗАПОМНИТЕ

Каким бы способом вы ни устанавливали границы, они будут применены ко ВСЕМУ документу, а не к отдельной странице.

УПРАЖНЕНИЕ

Установите следующие границы текста для открытого документа:

- верхнее поле — 2,5 см;

- левое поле — 2 см;

- нижнее поле — 2,5 см;

- правое поле — 1 см;

- отступ красной строки — 1 см (настраивается вручную: выделите весь документ и перетащите верхний маркер).

УПРАЖНЕНИЕ

Наберите текст и оформите по образцу. Сохраните документ под именем Древняя Греция (мифы).docx.

Вначале из Хаоса возникла мать-земля — богиня *Гея* и небо — *Уран*. От их союза произошли циклопы — *Бронт, Стероп, Арг* («гром», «блеск», «молния»).

Высоко посреди лба сиял их **единственный глаз**, превращая подземный огонь в небесный. Вторыми Уран и Гея породили сторуких и пятидесятиголовых великанов-гекатонхейров — *Котта, Бриарея* и *Гиеса* («гнев», «сила», «пашня»). И, наконец, на свет появилось великое племя титанов.

Их было **12** — шесть сыновей и дочерей Урана и Геи. *Океан* и *Тефия* породили все реки. *Гипперион* и *Тейа* стали предками Солнца (Гелиоса), Луны (Селены) и розоперстой зари (Эос).

От *Иапета* и *Асии* произошел могучий *Атлант*, держащий ныне небесную твердь на своих плечах, а также хитроумный Прометей, недалекий *Эпиметей* и дерзкий *Менетий*. Еще две пары титанов и титанид произвели на свет горгон и других удивительных существ. НО БУДУЩЕЕ ПРИНАДЛЕЖАЛО ДЕТЯМ ШЕСТОЙ ПАРЫ — *Крона* и *Реи*.

 ПОДСКАЗКА

Сначала установите красную строку (перетащите верхний маркер (треугольник) на линейке), затем проверьте шрифт — Times New Roman, размер 12. Введите текст. Все оформление сделаете ПОСЛЕ того, как весь текст будет набран.

Обратите внимание, что текст расположен как бы посреди страницы, но его правая и левая границы ровные (не рваные). Делается это так: выделите весь текст, установите выравнивание по ширине (инструмент ▦), а затем нажмите стрелку в группе инструментов Абзац (рис. 48).

Рис. 48. Группа Абзац

В открывшемся окне укажите отступ слева — 2 см, справа — 2,5 см, первая строка — отступ 1,25 см. Подтвердите выбор параметров нажатием OK. Теперь текст выглядит, как в образце.

Самостоятельно отформатируйте отдельные слова и предложения.

Масштаб

Вы вправе менять масштаб отображения документа. Это возможно двумя способами.

Способ 1: в правом нижнем углу окна Word находится регулировка масштаба — нужно аккуратно потянуть ползунок в сторону + или −, чтобы увеличить или уменьшить масштаб.

Этот способ не совсем удобен, лучше воспользоваться другим.

Способ 2: перейдите на вкладку **Вид** *— на ней есть инструмент*

Масштаб . При его выборе появится следующее окно (рис. 49).

Рис. 49. Окно Масштаб

Здесь можно указать масштаб **200 %**, **100 %** или **75 %**. Если ни одно из этих значений вам не подходит, укажите произвольный масштаб в соответствующем поле — нажатие стрелок позволяет увеличить или уменьшить изображение. Можно также поставить курсор в само поле **Произвольный** и ввести свое значение.

ЗАПОМНИТЕ

Перед печатью документа ОБЯЗАТЕЛЬНО воспользуйтесь предварительным просмотром! Шрифт, большой на экране, на бумаге может выглядеть мелким из-за используемого вами масштаба.

УПРАЖНЕНИЕ

Увеличьте масштаб листа до 200 %. Вернитесь к исходному масштабу.

Просмотр документа

Чтобы лучше представить, как документ будет выглядеть на бумаге, можно воспользоваться функцией Предварительный просмотр, которая позволяет увидеть страницы документа в уменьшенном варианте.

Для этого нужно найти кнопку 🖾 на панели быстрого доступа (верхний левый угол) и нажать ее.

ЗАПОМНИТЕ

Чтобы выйти из этого окна, нужно нажать кнопку Закрыть окно

предварительного просмотра Закрыть окно предварительного просмотра **, а НЕ НАЖИМАТЬ крестик, иначе вы закроете весь документ.**

Если кнопки 🖾 на панели нет, ее можно добавить — нажать стрелку справа на панели быстрого доступа и в появившемся меню выполнить команду Предварительный просмотр. Кнопка появится на панели.

УПРАЖНЕНИЕ

Откройте файл `Некрасов.docx`. Воспользуйтесь функцией предварительного просмотра. Измените поля страницы в режиме предварительного просмотра:

- ◆ верхнее — 3 см;

149

- нижнее — 3 см;

- левое — 4 см;

- правое — 1,5 см.

Сохраните файл под именем Некрасов_1.docx.

 ПОДСКАЗКА

Откройте документ Некрасов.docx (кнопка Office ▸ Открыть). Нажмите кнопку Предварительный просмотр (рис. 50).

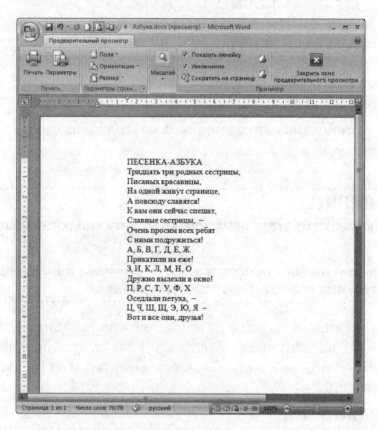

Рис. 50. Окно предварительного просмотра

Для изменения границ текста подведите указатель мыши к границе темной и светлой частей линейки — до изменения его вида.

Как только указатель принял другой вид, нажмите левую кнопку мыши и, удерживая ее, переместите границы в указываемых направлениях.

Проверьте точность установленных границ: вкладка **Разметка страницы** и команда **Параметры страницы** (рис. 51).

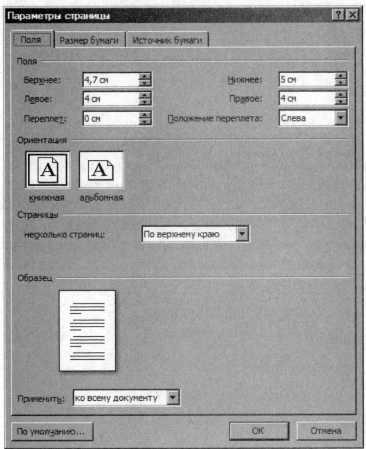

Рис. 51. Границы установлены верно

Чтобы сохранить измененный файл под другим именем, нажмите кнопку **Office** и выполните команду **Сохранить как ▶ Документ Word**. В появившемся окне будет указано прежнее имя — установите курсор после слова Некрасов, допишите новые символы и, не меняя папки для сохранения, нажмите **Сохранить**.

☞ Вопросы

Лист выглядит не так, как обычно.

Скорее всего, изменился вид страницы. Попробуйте сделать следующее: перейдите на вкладку **Вид** и нажмите кнопку **Разметка страницы** . Вид должен вернуться к стандартному.

Списки

Часто при работе с документами требуется представить данные в виде списка. Если вы хотите получить нумерованный список, то он «срабатывает» автоматически: если вы ввели, например 1), затем пробел, данные и нажали **Enter**, то 2) появится автоматически. Эту функцию разработчики продумали за вас. Однако, во-первых, это не всегда нужно, а во-вторых, есть другие типы списков.

Всего выделяют три вида списков.

Нумерованный:

1. 1-й элемент списка.

2. 2-й элемент списка.

3. 3-й элемент списка.

Маркированный:

- 1-й элемент списка;

- 2-й элемент списка;

- 3-й элемент списка.

Многоуровневый:

1. Уровень 1-й

 1.1. Уровень 2-й

1.1.1. Уровень 3-й

1.1.1. Уровень 3-й

1.2. Уровень 2-й

2. Уровень 1-й

Если вам необходимо добавить в текст какой-то из этих списков, можно воспользоваться кнопками на панели инструментов вкладки **Главная**. Специальные кнопки позволяют выбрать любой вид списка (табл. 3).

Таблица 3. Виды списков

	Нумерация	Нажатие кнопки приведет к включению того вида списка (маркера), который использовался до этого. Так, например, если вы использовали нумерацию вида 1), 2)... то, чтобы изменить ее на 1., 2. ... нужно вызвать дополнительные параметры. Если же вас устраивает такой вид нумерации, достаточно просто нажать кнопку. Щелчок на маленькой стрелке справа приведет к появлению вариантов оформления списков
	Маркеры	
	Многоуровневый список	

При работе со списками важно соблюдать следующие правила — тогда никаких сложностей не будет:

• введя элемент списка, нужно нажать Enter, и следующий маркер или номер появится автоматически;

• если список вам больше не нужен, нужно нажать Enter (для перехода на следующую строку) и «отжать» кнопку списка на панели инструментов.

ЗАПОМНИТЕ

Лучше не удалять ненужный маркер списка, а «ОТЖАТЬ» кнопку.

Мы рассмотрели только два вида списков — маркированный и нумерованный. В случае работы с многоуровневым списком нужно использовать дополнительные кнопки.

Если вы передумали пользоваться списком, а часть текста уже оформлена, список можно отменить: выделите его, посмотрите на вкладку **Главная** — какой вид списка «горит», то есть включен, и выключите его (нажмите его кнопку еще раз). Если вдруг список не исчез, а, наоборот, изменился, нажмите кнопку еще раз, и сейчас список точно отключится.

Выделение списка

Хотим отметить одну особенность: не пытайтесь выделить маркер или номер, когда выделяете список, — все равно не получится. Начинайте выделение с ПЕРВОГО СЛОВА в списке.

Подскажем вам еще один хороший способ. Подведите указатель мыши к списку слева — перед маркерами так, чтоб стрелка оставалась стрелкой, — и нажмите левую кнопку мыши. Должна выделиться вся строка (маркер не выделится: он не должен выделяться, так как привязан к строке). Удерживая кнопку мыши, выделите остальную часть списка.

УПРАЖНЕНИЕ

Создайте новый документ и наберите в нем список, пользуясь кнопками **Маркеры** и **Нумерация**.

ГОД (шрифт Ж, выравнивание по центру)

1. Весна (набираем, как обычно, в конце нажимаем **Enter**)

- *Март* (Сначала отключаем нумерацию — «отжимаем» значок на панели инструментов, а затем включаем кнопку **Маркеры**. Лучше нажать стрелку справа и в появившемся списке выбрать нужный маркер. После ввода слова следует нажать **Enter**.)

- Апрель

- Май

2. Лето (аналогично, сначала «отжать» **Маркеры**, затем нажать кнопку **Нумерация**)

- *Июнь* (отключаем **Нумерацию**, включаем **Маркеры**)

- *Июль*

- *Август* (после нажатия **Enter** здесь должен был появиться еще один маркер; чтобы его убрать, нужно отключить **Маркеры**).

Сохраните документ под именем `Год.docx` в своей папке.

Вопросы

Можно ли изменить расположение списка в тексте?

Да, это можно сделать. Предлагаем воспользоваться самым «безвредным» способом — нажать одну из кнопок ⬛⬛ (**Уменьшить отступ** и **Увеличить отступ** соответственно). Обратите внимание, что стрелки на них указывают направление, в котором будет двигаться ваш список.

ЗАПОМНИТЕ

Прежде чем воспользоваться этими кнопками, список необходимо ВЫДЕЛИТЬ.

Таблицы

Приведем один способ создания таблицы, на наш взгляд, самый удобный и простой. Перейдите на вкладку **Вставка** (щелкните на ее названии). На ней найдите кнопку ⬛ и нажмите ее стрелку. В появившемся меню выполните команду **Вставить таблицу** — откроется окно вставки таблицы (рис. 52).

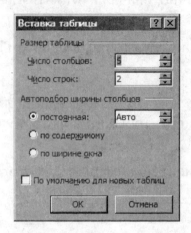

Рис. 52. Окно Вставка таблицы

В нем необходимо указать количество столбцов и строк. Это можно сделать вручную: установить курсор (щелкнуть кнопкой мыши), удалить старое значение и ввести новое. Можно также увеличить или уменьшить количество столбцов (строк) с помощью стрелок (стрелка вверх увеличивает значение на единицу, стрелка вниз — уменьшает) (рис. 53).

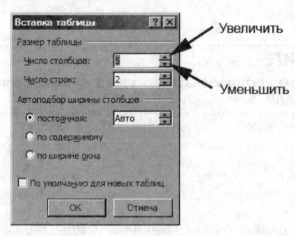

Рис. 53. Изменение количества столбцов

Затем следует нажать OK.

Выделение ячеек (строк, столбцов)

Для выделения элементов таблицы есть два универсальных способа.

Способ 1: с помощью клавиатуры.

1. Поставить курсор в первую ячейку, которую нужно выделить.

2. Нажать и удерживать клавишу Shift.

3. Щелкнуть на последней ячейке.

4. Отпустить Shift.

Способ 2: с помощью кнопки мыши. Подведите указатель мыши к началу первой ячейки, нажмите левую кнопку и, не отпуская, тяните до последней ячейки.

Специальные способы выделения строки и столбца схематически можно изобразить так (рис. 54).

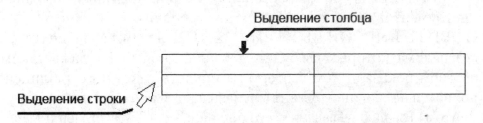

Рис. 54. Выделение строки и столбца

Выделение строки: подвести указатель мыши к границе таблицы слева напротив строки, которую требуется выделить, и нажать левую кнопку мыши.

Выделение столбца: подвести указатель мыши к границе таблицы сверху до появления черной жирной стрелки и нажать левую кнопку мыши.

Выделение всей таблицы: подвести указатель мыши к левому верхнему углу таблицы (там должен появиться значок ✛) и нажать левую кнопку.

Добавление строк и столбцов

Самый простой способ добавления новой строки схематически можно показать так (рис. 55).

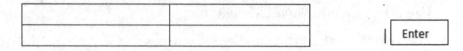

Рис. 55. Добавление новой строки

Для вставки новой строки нужно установить курсор справа за таблицей и нажать Enter.

Есть способ добавления столбцов и строк таблицы с помощью инструментов. Чтобы эти инструменты появились, нужно УСТАНОВИТЬ КУРСОР ВНУТРИ ТАБЛИЦЫ в том столбце (строке), рядом с которым вы будете добавлять новый. Когда вы таким образом показали компьютеру, что будете работать с таблицей, появится новый инструмент (он называется контекстным инструментом) Работа с таблицами и его две вкладки — Конструктор и Макет. Перейдя на вкладку Макет, вы увидите группу инструментов для вставки строк (столбцов), по названию которых можно догадаться, куда будут добавлены объекты (рис. 56).

Рис. 56. Вкладка Макет

ЗАПОМНИТЕ

Если нужно добавить сразу несколько строк (столбцов), то сначала следует ВЫДЕЛИТЬ столько столбцов (строк), сколько вы хотите добавить, а затем воспользоваться описанным выше способом (панелью инструментов).

Удаление строк (столбцов)

Чтобы удалить ОДНУ строку (столбец), нужно установить курсор внутри этой строки (столбца) и воспользоваться кнопкой Удалить Удалить (контекстный инструмент Работа с таблицами и его вкладка Макет). В меню кнопки Удалить (для его вызова нажмите стрелку вниз) следует выбрать нужный пункт:

- Удалить ячейки;

- Удалить столбцы;

- Удалить строки;

- Удалить таблицу.

ЗАПОМНИТЕ

Для удаления нескольких строк (столбцов) их сначала нужно ВЫДЕЛИТЬ.

Объединение ячеек таблицы

Перед объединением ячейки нужно выделить. Затем перейдите на вкладку Макет контекстного инструмента Работа с таблицами и выполните команду Объединить ячейки.

159

Удаление таблицы

Стандартный способ «выделить и нажать **Delete**» здесь не подходит. Так вы только очистите таблицу, то есть в результате этого действия исчезнет ее содержимое, но сама сетка таблицы останется.

Для удаления таблицы нужно сделать следующее. Установите курсор внутри таблицы, перейдите на вкладку **Макет** контекстного инструмента **Работа с таблицами**, нажмите стрелку кнопки **Удалить** и выполните команду **Удалить таблицу**.

Изменение ширины столбца (высоты строки)

Для изменения ширины столбца достаточно подвести указатель мыши к вертикальной границе столбца (указатель должен принять вид ◄║►), нажать левую кнопку и, удерживая ее, перетащить границу влево или вправо.

Высота строки изменяется аналогично: подведите указатель мыши (стрелка должна измениться на ⇕) и, удерживая левую кнопку, передвиньте горизонтальную линию вверх или вниз.

🔽 Вопросы

Таблица не помещается на листе. Что делать?

Если таблица предполагает наличие большого количества столбцов, удобнее перевернуть лист.

1. Перейдите на вкладку **Разметка страницы**.

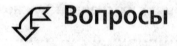

2. Нажмите кнопку **Ориентация** .

3. Появится список, из которого можно выбрать книжную или альбомную ориентацию листа. Вам нужна **Альбомная**.

ЗАПОМНИТЕ

Альбомная ориентация листа будет применена ко всем страницам документа!

УПРАЖНЕНИЕ

Создайте таблицу по образцу и сохраните под именем `Таблица_Год.docx`.

ГОД			
Зима	Весна	Лето	Осень
Декабрь	*Декабрь*	*Декабрь*	*Декабрь*
Январь	*Январь*	*Январь*	*Январь*
Февраль	*Февраль*	*Февраль*	*Февраль*

ПОДСКАЗКА

Вкладка Вставка ▸ Таблица ▸ Вставить таблицу. В появившемся окне задайте четыре столбца и три строки.

Выделите все ячейки первой строки и объедините их: инструмент Работа с таблицами ▸ вкладка Макет ▸ Объединить ячейки.

Введите данные в ячейки так, как показано в образце.

ГОД — выравнивание по центру (вкладка Главная ▸ кнопка ▤), размер шрифта 14, Ж.

Зима, весна, лето, осень — шрифт Tahoma, выравнивание по центру, размер шрифта 12.

Названия месяцев — К.

Как сделать, чтобы текст отображался в две колонки?

В программе предусмотрено представление текста в виде нескольких колонок, но наш вам совет — используйте таблицу. Сначала вставьте таблицу с таким количеством столбцов, сколько планируете колонок, и одной строкой. Заполните каждый столбец, а затем сделайте границы таблицы невидимыми. В результате при печати документа на бумаге ни вы, ни кто-либо другой не отличит колонки от вашей замаскированной таблицы.

Чтобы сделать границы таблицы невидимыми, выполните следующие действия.

1. Выделите таблицу (нажмите значок в левом верхнем углу таблицы или выделите все столбцы).

2. Щелкните стрелку кнопки ⊞⁻ на панели инструментов вкладки **Главная**.

В раскрывшемся списке уже показано, какие границы можно выбрать. Выполните команду **Нет границы** (рис. 57).

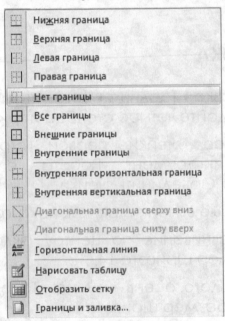

Рис. 57. Выбор границ

162

Вставка номера страницы

Перейдите на вкладку **Вставка** и нажмите кнопку. В появившемся меню можно выбрать расположение нумерации на листе (например, вверху или внизу страницы). Каждый вид расположения имеет вариации, которые появляются автоматически при подведении указателя мыши. Чтобы выбрать какой-либо понравившийся вариант, нужно щелкнуть на нем.

ЗАПОМНИТЕ

Обратите внимание, что в этом списке есть команда Удалить номера страниц, которая позволяет автоматически удалить номера на ВСЕХ страницах документа.

Печать документа

Печать документа возможна, только если у вас есть принтер, и он настроен. Чтобы напечатать документ, сделайте следующее.

1. Проверьте, включен ли принтер (на нем должна гореть зеленая лампочка) и есть ли в нем бумага.

2. Откройте документ, который будете печатать.

3. С помощью предварительного просмотра убедитесь, что документ расположен на странице должным образом и не выходит за ее границы.

4. Нажмите кнопку **Office** и выполните команду **Печать ▸ Печать** (рис. 58).

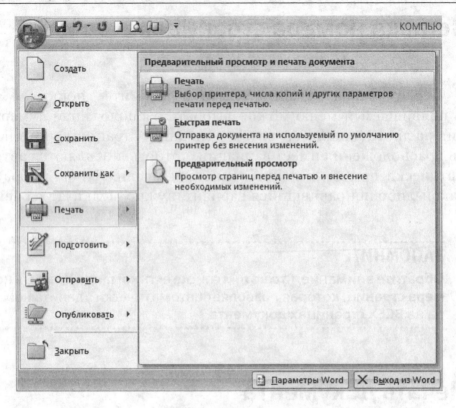

Рис. 58. Печать документа

5. В открывшемся окне нужно обязательно указать: какие страницы вы печатаете (все страницы, текущую (ту, на которой сейчас находится курсор) или выборочные (тогда следует указать номера страниц)) и количество копий (1, 2 ...) (рис. 59).

ЗАПОМНИТЕ

Если вы хотите напечатать определенные страницы, то их необходимо указать через запятую (например, 1, 3). Если требуется вывести на бумагу несколько страниц, идущих подряд, то они вводятся через дефис (например, 2–5).

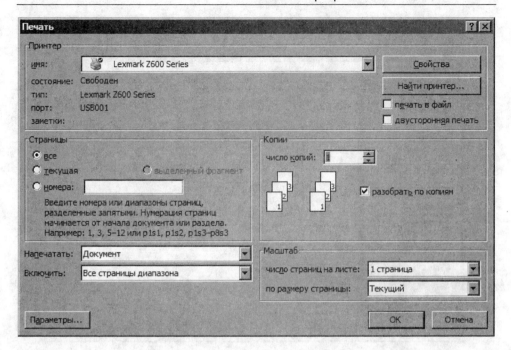

Рис. 59. Параметры печати

6. Указав все параметры, нажмите OK.

Поиск документов

Иногда документов на компьютере так много, что не всегда можно вспомнить, где находится нужный в данный момент. Что делать? Не просматривать же все папки! Для этого в Windows предусмотрена специальная функция — Поиск. Она расположена в Главном меню: Пуск ▶ Поиск.

В появившемся окне (рис. 60) можно указать ИМЯ ФАЙ-ЛА целиком (лучше всего с расширением, но и без расширения компьютер тоже найдет, если, конечно, вы указали верное имя) или хотя бы СЛОВО, которое точно есть в самом документе (в случае, если вы ищете текстовый документ).

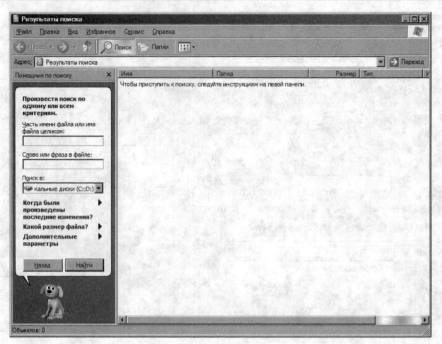

Рис. 60. Окно поиска

Область поиска — все диски — уже указана автоматически, нужно только нажать Найти. Если будет найден документ, соответствующий вашему запросу, он отобразится в центральной части окна.

....

ЗАПОМНИТЕ

Найденных файлов (папок) может быть много, поэтому, если вы ищете документ по слову, лучше, если это слово будет специфическим. Для поиска можно также использовать специальные символы.

Вопросительный знак (?) заменяет ОДИН символ. Так, если вам нужно найти все файлы с именем РаботаN.doc, где N — какой-то номер, состоящий из одной цифры, то запрос можно ввести так: Работа?.doc. Если же после слова Работа должны стоять два символа, то запрос будет выглядеть следующим образом: Работа??.doc (каждый знак ? заменяет один символ).

Звездочка (*) заменяет любое количество символов. Если вы помните только часть имени, например середину, то запрос нужно писать как *текст*.doc. Удобно искать ТОЛЬКО ТЕКСТО-ВЫЕ документы, вводя запрос *.docx (компьютер будет искать все файлы с расширением .docx, то есть только тексты).

Можно упростить задачу компьютеру — уменьшить область поиска. Для этого следует нажать стрелку списка Поиск в и в раскрывшемся списке выбрать диск, на котором нужно искать файл или папку (рис. 61).

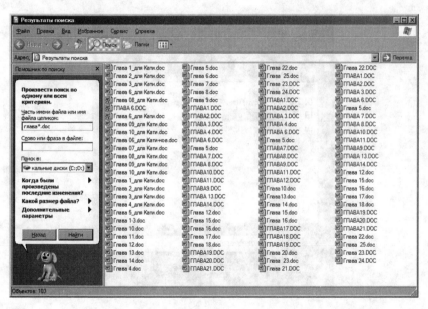

Рис. 61. Результаты поиска

Чтобы открыть найденный файл (папку), достаточно дважды щелкнуть на нем кнопкой мыши (открыть, как обычно). Для дальнейшей работы нужно запомнить путь к нему.

ЗАПОМНИТЕ

Если вместо полной информации о найденном файле в окне отображаются только значки, нужно изменить вид представления, выполнив команду Вид ▶ Таблица.

ПРИМЕР

Откройте окно поиска (Пуск ▶ Поиск). В поле Часть имени файла или имя файла целиком введите `*.docx` (будут найдены все файлы, созданные в программе Microsoft Word 2007, потому что вместо имени вы поставили знак `*`, который заменяет любое количество символов, а расширение `.docx` указывает на программу Word). Из списка Поиск в выберите папку D:\Тексты, для чего нажмите стрелку и в появившемся списке выберите Обзор в самом низу (рис. 62).

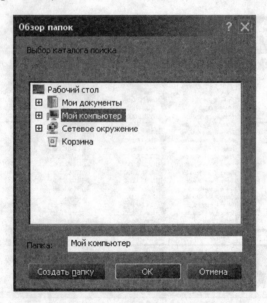

Рис. 62. Окно Обзор папок

В появившемся окне следует указать папку Тексты, находящуюся на диске D:. Сначала щелкните Мой компьютер — отобразятся все диски. Затем среди этих дисков выберите D: — появятся все папки, находящиеся на нем. Найдите среди них каталог Тексты, выделите его и нажмите ОК.

Когда оба параметра поиска указаны, нажмите Найти. Компьютер отыщет все текстовые документы, которые были сохранены в эту папку.

Настройка Windows

Настройка Рабочего стола

Если вы дошли до этой главы, значит, начальный навык работы у вас уже сформировался и вы имеете представление об окнах, вкладках, полях и переключателях. Теперь можно заняться настройкой Рабочего стола. Помните, все, что мы сделаем, легко отменить.

Изменение фона

После загрузки компьютера на Рабочем столе вы видите картинку (фон, или, как еще его называют, обои). Это может быть интересная картинка, фотография или стандартное изображение, которое появилось сразу после установки Windows. Как уже было сказано, Рабочий стол — это ваш личный кабинет, а значит, вам в нем должно быть комфортно. Для одних пользователей фон не имеет значения (есть картинка — и ладно!), для других — это способ самовыражения. В любом случае, менять фон или нет — решать вам, но попробуйте, вдруг понравится.

Разработчики предлагают стандартный набор картинок, и довольно неплохих. Однако что делать, если в качестве фона хочется поставить фотографию? Первое, что вы должны запомнить: эта фотография должна быть сохранена у вас на компьютере. Второе — как сделать ее фоном.

Способ 1: щелкните правой кнопкой мыши на свободной обла-
сти Рабочего стола *и выполните команду* Свойства.

Способ 2: нажмите кнопку Пуск, *выберите* Панель управления
и дважды щелкните на значке Экран.

В появившемся окне перейдите на вкладку Рабочий стол, щелкнув на ее названии (рис. 63).

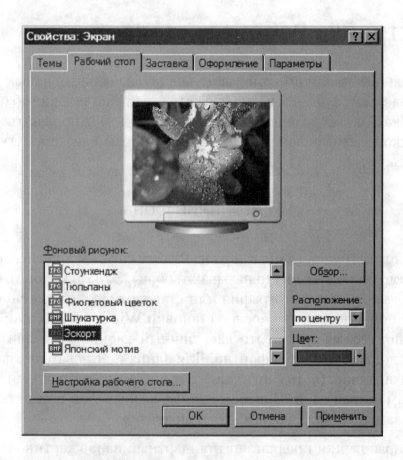

Рис. 63. Вкладка Рабочий стол окна свойств экрана

Кнопка Обзор предназначена для указания пути к фотографии,
которую вы хотите сделать фоном. Нажав ее, вы увидите следующее окно (рис. 64).

170

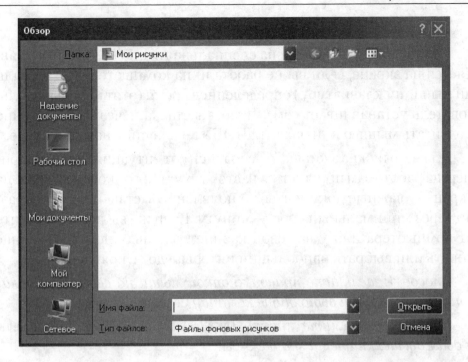

Рис. 64. Окно Обзор

По принципу организации это окно схоже с диалогом Мой компьютер, и вам нужно сделать следующее.

1. Перейдите в папку, где хранится фото, которое будет фоном.

2. Щелчком выделите необходимое изображение.

3. Нажмите кнопку Открыть.

Затем в окне Свойства: Экран нажмите ОК.

....
ЗАПОМНИТЕ

Чтобы выбрать одну из стандартных картинок Windows в качестве фона, в этом окне в списке Фоновый рисунок щелчком выделите понравившееся изображение и нажмите ОК.
....

Заставка

В Windows предусмотрена специальная заставка, которая появляется на экране, если вы не работали на компьютере (не трогали ни мышь, ни клавиатуру) определенное время (этот интервал пользователь устанавливает сам). Чтобы заставка исчезла, достаточно подвигать мышью или нажать ЛЮБУЮ клавишу на клавиатуре.

Для чего нужна заставка? Все зависит от ситуации. Если, например, на работе вам приходится часто отлучаться от компьютера, а на экране — важные документы, то появление заставки целесообразно через минимальный срок — минуту. Если же вы редко отходите от компьютера или у вас свой кабинет, заставку логично вообще убрать или выбрать наибольший интервал до ее появления.

Способ 1: щелкните правой кнопкой мыши на свободной области Рабочего стола *и выполните команду* Свойства.

Способ 2: нажмите кнопку Пуск, *выберите* Панель управления *и дважды щелкните на значке* Экран.

В появившемся окне перейдите на вкладку Заставка, щелкнув на ее названии (рис. 65).

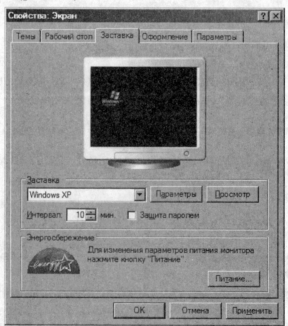

Рис. 65. Вкладка Заставка окна свойств экрана

Чтобы установить другую заставку, откройте список Заставка щелчком на его стрелке и выберите другой вариант, ориентируясь по названию. Выбор пункта (Нет) — это отказ от заставки. Если вам непонятно, как именно будет выглядеть заставка, нужно сначала выбрать ее, а затем нажать кнопку Просмотр. Для изменения интервала воспользуйтесь стрелками поля Интервал (один щелчок на стрелке вверх — увеличение на одну минуту, на стрелке вниз — уменьшение на одну минуту). Минимальный интервал — одна минута.

Чтобы выбранные изменения вступили в силу, нажмите ОК.

Настройка времени и даты

Часы на компьютере отображаются в нижнем правом углу. Это не просто часы, а панель даты/времени. Как уже упоминалось выше, чтобы увидеть дату, достаточно подвести указатель мыши к часам и подождать несколько секунд. Нажимать ничего не нужно!

Несмотря на то что вы выключаете компьютер, дата и время работают постоянно (за исключением серьезных поломок). Кстати, переход на зимнее или летнее время также автоматический.

Изменить время или дату, установленные на вашем компьютере, можно следующим образом.

Способ 1: дважды щелкнуть на часах в правом нижнем углу экрана.

Способ 2: щелкнуть на часах правой кнопкой мыши и выполнить команду Настройка даты/времени.

Способ 3: нажать кнопку Пуск, *выбрать* Панель управления *и в появившемся списке дважды щелкнуть на значке* Дата и время.

Каким бы способом вы ни воспользовались, на экране появится следующее окно (рис. 66).

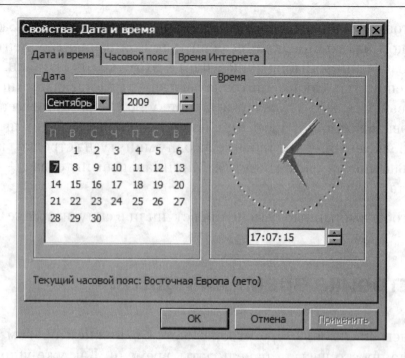

Рис. 66. Окно свойств даты и времени

Изменение даты

Для выбора месяца нужно нажать черную стрелку соответствующего списка и щелчком выбрать название месяца. Чтобы изменить год, достаточно нажать стрелку вверх (на один год больше) или вниз (на один меньше). Для выбора числа нужно щелкнуть на нем в календаре.

Изменение времени

Время записано в формате чч:мм:сс (часы, минуты, секунды). Для изменения достаточно поставить курсор (подвести указатель мыши и щелкнуть) в той области, которую нужно изменить (каждая область отделена двоеточием), и воспользоваться стрелками вверх и вниз, которые находятся справа. Когда вы нажмете OK, дата и время изменятся.

Что делать, если переход на зимнее/летнее время не происходит автоматически? У вас просто отключена эта функции. Чтобы ее включить, нужно нажать кнопку Пуск, выбрать Панель управления, затем Дата и время и перейти на вкладку Часовой пояс. Здесь нужно установить соответствующий флажок (щелкнуть кнопкой мыши в белом квадрате) (рис. 67).

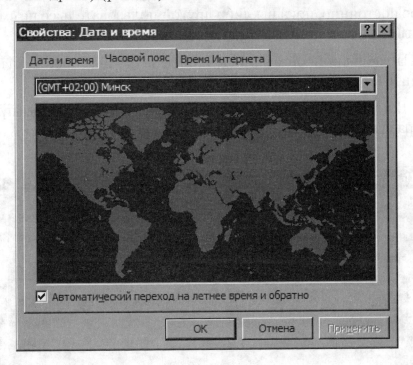

Рис. 67. Вкладка Часовой пояс

Настройка языка

Как вы уже знаете, у нас установлены два языка — русский и английский. Вы научились переключаться с одного языка на другой с помощью мыши и комбинации клавиш. Как известно, таких комбинаций две. Если вы все еще не привыкли переключаться, например с помощью Alt+Shift, то можете попробовать поработать с сочетанием Ctrl+Shift. Выбирать вам, наша задача — показать, как задать любую из указанных комбинаций.

Выбор комбинации клавиш для смены языка

Установленная вами комбинация будет работать на компьютере постоянно, пока вы либо другой пользователь ее не смените. Выбрать сочетание клавиш можно следующим образом.

1. Правой кнопкой мыши щелкните на индикаторе языка и выполните команду Параметры.

2. В появившемся окне нажмите кнопку Параметры клавиатуры — отобразится следующий диалог (рис. 68).

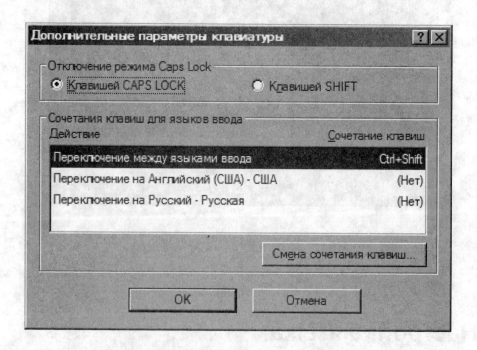

Рис. 68. Дополнительные параметры клавиатуры

Вы увидите комбинацию, которая установлена в данный момент.

3. Нажмите кнопку Смена сочетания клавиш. Должен отобразиться следующий диалог (рис. 69).

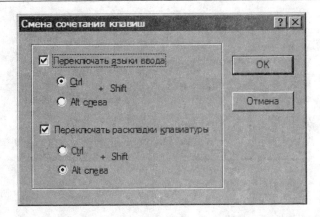

Рис. 69. Окно смены сочетания клавиш

4. Выберите другое сочетание — щелкнув на нужном сочетании левой кнопкой мыши.

Нажмите OK в каждом окне в обратной последовательности (сначала в окне из п. 3, потом — из п. 2, и только после этого — в окне, которое появилось при выполнении п. 1).

Добавление нового языка

Вы даже не догадываетесь, что на компьютере есть множество языков, которые появились во время установки вашей операционной системы Windows. Вы, конечно, можете ни разу не воспользоваться никаким языком, кроме английского и русского, но иногда возникают ситуации, когда приходится набирать текст, например на немецком. Для начала нужно добавить этот язык в список, который появляется, когда вы щелкаете левой кнопкой мыши на индикаторе языка. Скорее всего, сейчас у вас там только английский и русский. Добавим немецкий язык (любой другой можно добавить аналогичным образом).

1. Щелкните на индикаторе языка правой кнопкой мыши и выберите Параметры.

2. В открывшемся диалоге нажмите Добавить — должно появиться следующее окно (рис. 70).

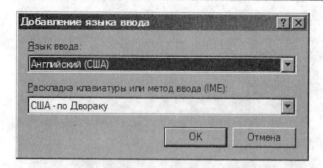

Рис. 70. Окно добавления языка

3. Ваша задача — выбрать язык ввода. Раскройте список **Язык ввода** (щелкните на его стрелке) — отобразится перечень языков. Найдите в нем **Немецкий (Германия)** и щелкните на нем. Значение в списке **Раскладка клавиатуры или метод ввода (IME)** изменится автоматически. Нажмите **OK**.

4. Новый язык отобразился в первоначальном окне (рис. 71). Нажмите кнопку **OK**.

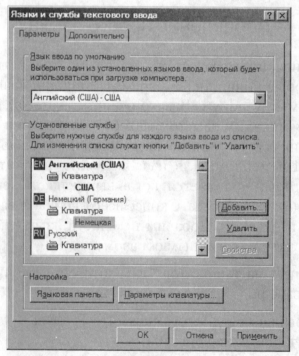

Рис. 71. Появился новый язык — немецкий

Теперь при щелчке левой кнопкой на индикаторе языка у вас будет появляться список уже из трех языков — русского, английского и немецкого.

Переключиться между языками в этом случае можно обоими вышеописанными способами (с помощью мыши или сочетания клавиш).

ЗАПОМНИТЕ

Переключение между языками происходит по кругу: английский —русский —немецкий —английский —русский —немецкий.

Очевидно, что в данном случае (а также когда языков еще больше) для переключения языка удобнее пользоваться мышью.

Возникает вопрос: мне нужно набрать текст на немецком, язык добавлен, но где я возьму символы, которых нет на клавиатуре? Все просто: все буквы, которые совпадают по написанию с английскими, остаются на своих местах, буквам, которые есть только в немецком также присваиваются клавиши, просто на вашей клавиатуре эти буквы не нанесены. Опытным путем, то есть перед работой изучите, где какие специфические буквы находятся.

Вряд ли вам часто придется пользоваться несколькими иностранными языками, поэтому когда вы закончите работу с текстом, в нашем случае на немецком языке, целесообразно удалить этот язык.

ЗАПОМНИТЕ

При удалении языка из списка вы удаляете только ссылку на него. В дальнейшем при необходимости его можно добавить аналогичным образом.

Удаление языка

Удалить язык гораздо проще, чем добавить. Выполните следующие действия.

1. Щелкните правой кнопкой мыши на индикаторе языка и выберите **Параметры**.

2. В появившемся окне выделите язык, который удаляете (щелкните на его названии — оно станет другого цвета).

Нажмите **Удалить**, а затем **ОК** (рис. 72).

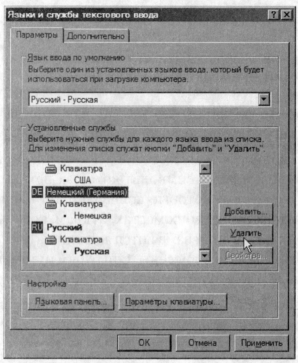

Рис. 72. Удаление языка

 # Вопросы

Что делать, если индикатор языка исчез?

Чтобы индикатор языка появился на **Рабочем столе**, выполните следующие действия.

180

1. Нажмите кнопку Пуск и выполните команду Панель управления ▶ Язык и региональные стандарты.

2. В появившемся окне перейдите на вкладку Языки и нажмите кнопку Подробнее.

3. В открывшемся затем диалоге нажмите кнопку Языковая панель (рис. 73).

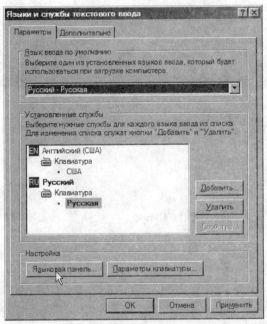

Рис. 73. Нажмите кнопку Языковая панель

4. Отобразится окно Параметры языковой панели, в котором нужно установить флажок (щелкнуть в белом квадрате) Отображать языковую панель на рабочем столе и нажать ОК (рис. 74).

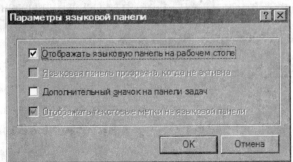

Рис. 74. Параметры языковой панели

Что делать, если индикатор языка «улетел» в другое место Рабочего стола?

Найдите индикатор на Рабочем столе и внимательно посмотрите на него — это не просто индикатор, а целая панель, в правом верхнем углу которой есть кнопка Свернуть (горизонтальная черта) (рис. 75). Если нажать ее, индикатор языка вернется на место.

Рис. 75. Индикатор языка в виде панели

Настройка мыши

Мышь — это достаточно простое устройство, но и к нему нужно привыкнуть, а в некоторых случаях возникает необходимость ее настройки. Вы можете поменять назначение кнопок (для левшей), а также изменить скорость двойного щелчка — сделать так, чтобы двойным щелчком компьютер считал два последовательных щелчка с большим интервалом (рекомендуется). Выполнить эти действия можно в окне Свойства: Мышь.

1. Нажмите кнопку Пуск и выберите Панель управления.

2. В появившемся окне дважды щелкните на значке Мышь (если вы так и не освоили двойного нажатия, щелкните левой кнопкой один раз и нажмите Enter).

3. В открывшемся диалоге установите флажок Обменять назначение кнопок (один раз щелкните в соответствующем белом квадрате) (рис. 76).

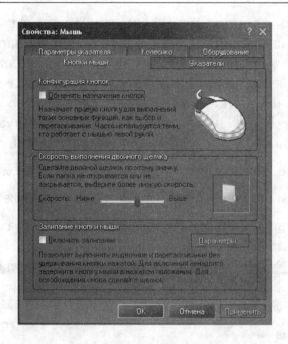

Рис. 76. Окно Свойства: Мышь

Для настройки скорости двойного щелчка необходимо перетащить ползунок в сторону Ниже. Не закрывая окна, проверьте, получается ли у вас сейчас двойное нажатие — попробуйте открыть желтую папку (справа от регулятора Скорость). Если двойной щелчок все равно не получается, перетащите ползунок еще — до минимального значения.

4. Нажмите ОК.

Удаление программ

Важно понимать, что удаление ФАЙЛА и удаление ПРОГРАММЫ выполняются различными способами! Недостаточно просто выделить папку с ненужной вам программой, а затем нажать Delete. Так вы удалите папку, но это, как правило, не все, что относится к программе. Важно запомнить, что при установке приложения появляются не только основная папка, где находятся элементы данной программы, но также ярлыки (ссылки) на Рабочем столе, в Главном меню (Пуск ▶ Программы), а также другие вспомогательные папки, о которых вы, скорее всего, даже не догадываетесь. НЕ НУЖНО удалять программу вручную — для этого есть специальная функция. Выполните следующие действия.

1. Нажмите кнопку Пуск и выберите Панель управления.

2. Двойным щелчком откройте Установка и удаление программ.

3. В открывшемся окне отобразятся ВСЕ программы, которые установлены на вашем компьютере (рис. 77).

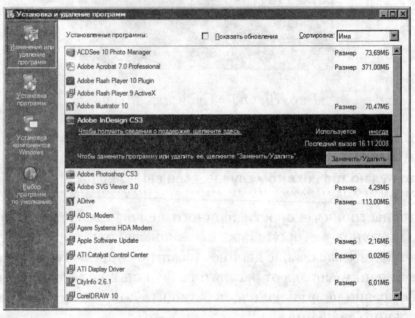

Рис. 77. В этом окне отображается список всех ваших программ

Выделите в списке программу, которую нужно удалить, и нажмите кнопку Удалить.

ЗАПОМНИТЕ

Если вы НЕ ЗНАЕТЕ, что это за программа, или НЕ УВЕРЕНЫ, что знаете, для чего она, НЕ НУЖНО удалять ее.

Полезные программы

Архиватор

На компьютере может храниться огромный объем информации — как нужной, так и «на всякий случай». Вот для этих случаев и придумана специальная программа, которая уменьшает файл до минимального размера. Тем самым экономится место, а файл дожидается своего часа — если он вам понадобится, его можно восстановить.

Архивирование файлов (папок)

Архивирование (или упаковка) файлов (папок) — это сжатие файлов (папок), как правило, с целью уменьшения занимаемого ими места на диске, а также отправки их посредством электронной почты. Специальные программы — *архиваторы* — предназначены как для архивирования (упаковки), так и для разархивирования (распаковки). Упакованные файлы имеют расширение `.rar` и `.zip`. Если у вас на компьютере не установлен архиватор, просмотреть архив невозможно.

ЗАПОМНИТЕ

Лучше всего сжимаются текстовые документы (занимаемый ими объем памяти уменьшается приблизительно в три раза!), а вот музыку, фильмы или фото архивировать практически бессмысленно — существенной разницы вы не заметите.

Если у вас установлен архиватор (специальная программа для сжатия документов), то при щелчке ПРАВОЙ кнопкой мыши на файле или папке, который нужно сжать, вы увидите группу команд Добавить в архив (рис. 78).

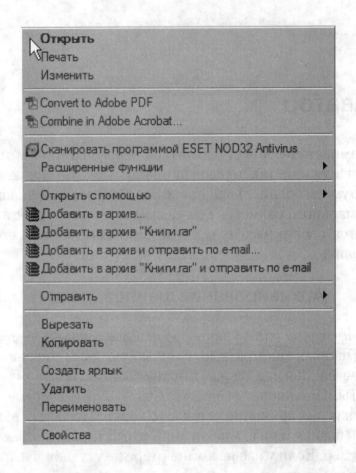

Рис. 78. В середине списка есть команда Добавить в архив

При выполнении этой команды в появившемся окне можно выбрать имя архива, тип (RAR или ZIP), а также другие параметры (рис. 79).

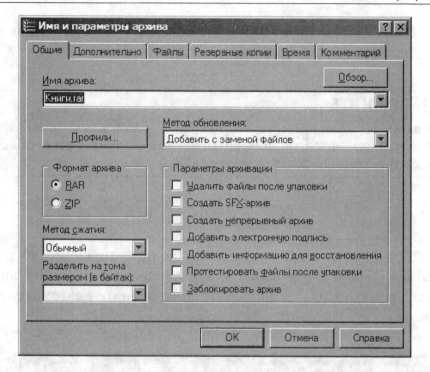

Рис. 79. Окно параметров архива

В списке (см. рис. 78) есть и другие касающиеся архивов команды.

• **Добавить в архив "имя файла.rar"** — создание архива в той же папке, где находится сам файл (папка) со стандартными параметрами. Архиву будет присвоено такое же имя, что и у файла (папки). Рекомендуем пользоваться данной командой. Компьютер не будет спрашивать вас о тонкостях упаковки, а выполнит ее по стандартной схеме. В результате у вас в папке появится упакованный файл (архив).

• **Добавить в архив и отправить по e-mail** — кроме упаковки, файл (папка) будет отправлен по электронной почте. Многоточие после названия команды говорит о том, что можно выбрать параметры.

- Добавить в архив "имя файла.rar" и отправить по e-mail — упаковка и отправка со стандартными параметрами.

ЗАПОМНИТЕ

Какой бы командой вы ни воспользовались, исходный файл (папка) останется, но добавится новый — архив. При необходимости исходный файл можно удалить.

Разархивирование

Чтобы просмотреть содержимое архива, придется воспользоваться специальной программой, вернее, по двойному щелчку на значке архива окно приложения появится автоматически (рис. 80).

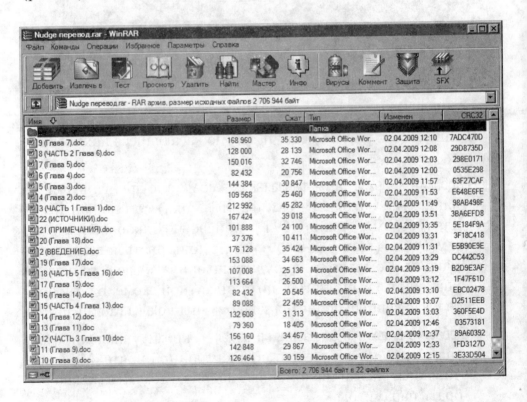

Рис. 80. Окно просмотра содержимого архива

Для разархивирования (распаковки архива) выполните следующие действия.

1. Щелчком выделите файл или папку.

2. Нажмите кнопку **Извлечь в** на панели инструментов.

3. В появившемся окне нажмите OK. Здесь по умолчанию уже указана папка, в которую компьютер предлагает распаковать архив — это текущая папка (в которой вы находитесь в данный момент).

ЗАПОМНИТЕ

После распаковки архив не удалится, а в открытую папку добавится распакованный файл или папка. При желании после этого архив можно удалить.

Самораспаковывающийся архив

Самораспаковывающийся архив хорош тем, что для его распаковки не нужна специальная программа. Куда бы вы ни принесли такой архив, можете быть уверены, что он обязательно распакуется (вернется к нормальному виду).

ЗАПОМНИТЕ

Для создания такого архива все равно нужна специальная программа-архиватор, например WinRAR.

Создание самораспаковывающегося архива

Самораспаковывающийся архив создается следующим образом.

1. Выделите файл (папку), который нужно упаковать.

2. Щелкните на выделенном файле правой кнопкой мыши и выберите **Добавить в архив** (или выполните команду меню **Файл ▶ Добавить в архив**).

189

3. В появившемся окне установите флажок Создать SFX-архив (щелкните в белом квадрате) (рис. 81).

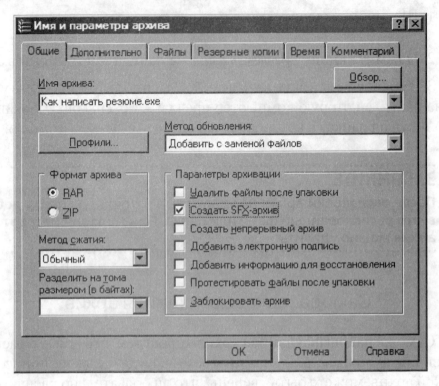

Рис. 81. Создаем SFX-архив

4. Нажмите кнопку OK.

5. Созданный архив будет иметь значок .

Распаковка архива

Вот два самых простых способа для выполнения этого действия.

Способ 1: щелкнуть правой кнопкой мыши на архиве и выбрать Извлечь в текущую папку.

Способ 2: выделить архив и выполнить команду меню Файл ▸ Извлечь в текущую папку.

190

Можно также дважды щелкнуть на архиве — появится окно, в котором в поле Папка назначения по умолчанию будет указан каталог, в котором вы сейчас находитесь (рис. 82).

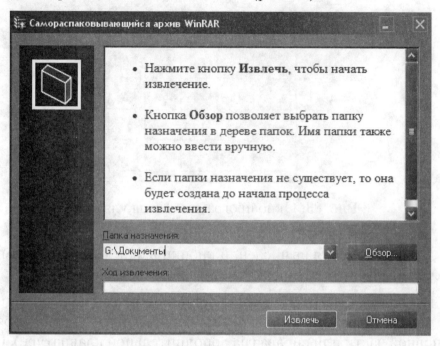

Рис. 82. В поле Папка назначения по умолчанию указан каталог, в котором вы находитесь

Ваша задача — нажать кнопку Извлечь.

Калькулятор

В операционной системе Windows XP (как и в более старых версиях Windows) есть встроенная программа Калькулятор. Чтобы ее загрузить, нажмите кнопку Пуск и выполните команду Все программы ▸ Стандартные ▸ Калькулятор (рис. 83).

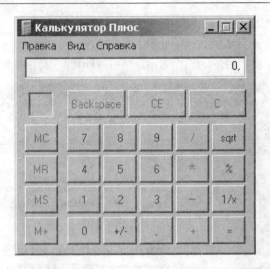

Рис. 83. Окно программы Калькулятор

Для выполнения вычислений кнопки в окне самой программы можно нажимать с помощью как мыши, так и клавиатуры.

При работе с клавиатурой в принципе не важно, какие цифры вы будете нажимать на ней — расположенные в верхнем ряду основной части или справа (на дополнительной клавиатуре). Однако гораздо удобнее пользоваться дополнительной, так как она предназначена именно для вычислений. Перед началом работы проверьте, включена ли дополнительная клавиатура (должна гореть первая из трех лампочек, расположенных в правом верхнем углу клавиатуры). Если она выключена, нажмите NumLock. Далее все просто: действия, как и цифры, изображены на клавишах, только вместо действия «равно» следует нажимать Enter, а для удаления неправильно введенной цифры — BackSpace.

Попробуйте посчитать на Калькуляторе, сначала пользуясь только клавиатурой, а затем — только мышью.

ЗАПОМНИТЕ

Калькулятор может выполнять и более сложные функции. Для этого нужно изменить вид окна программы, выполнив команду меню Вид ‣ Инженерный (рис. 84).

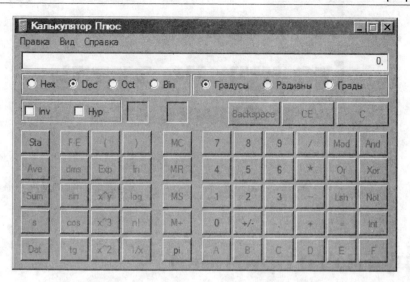

Рис. 84. Окно программы Калькулятор
при выборе варианта Инженерный

Чтобы закрыть **Калькулятор**, нажмите крестик в правом верхнем углу окна программы.

193

Что нужно знать о вирусах

Вирус и его признаки

Вирус — это компьютерная программа, основное назначение которой — нанесение вреда компьютеру и причинение неудобств пользователю. Принцип работы у вируса следующий: программа производит свои копии, которые, в свою очередь, тоже производят копии и т. д. Кроме того, каждый вирус ведет еще какую-нибудь вредную деятельность — в зависимости от фантазии его разработчика. Увидеть сам вирус вам вряд ли удастся, а вот о его наличии можно догадаться. Существуют признаки того, что ваш компьютер заражен:

* тормозится работа компьютера (все операции выполняются медленнее);

* не работают устройства или происходят сбои (например, указатель мыши перемещается сам по себе);

* резко закончилось свободное место (вчера его было много, сегодня включили, поработали, и вдруг появляется сообщение, что свободного места нет);

* появляются различные сообщения (как правило, шуточного характера);

* компьютер перезагружается или выключается самостоятельно.

Заразиться ваш компьютер может через Интернет (основной источник вирусов), локальную сеть (если вы к ней подключены) либо через зараженный файл, принесенный с другого компьютера на диске или флешке.

•••

ЗАПОМНИТЕ

Если ваш компьютер не подключен к какой-либо сети и вы не приносите домой чужие диски с информацией, то вероятность появления вируса приближается к нулю!

•••

Важно запомнить следующее:

◆ если вы пользуетесь Интернетом или локальной сетью, нужно, чтобы на компьютере был установлен и ПОСТОЯННО РАБОТАЛ антивирус;

◆ все принесенные файлы (на флешке или диске) нужно сначала проверять на наличие вирусов, только потом сохранять на компьютере.

Антивирусные программы

Назначение *антивирусных программ* — борьба с вирусами. Они не только проверяют имеющиеся на компьютере файлы, но и отражают атаки вируса, заранее предупреждают о его наличии, лечат зараженные файлы (если это возможно) или удаляют (если лечение невозможно). Таким образом, антивирус — это защита вашего компьютера, поэтому его необходимо установить. Пример антивирусной программы — «Антивирус Касперского». Если он работает на вашем компьютере, то в правом нижнем углу экрана вы увидите значок К.

Каждая программа-антивирус содержит базу известных вирусов. Количество компьютерных вирусов постоянно растет, поэтому у разработчиков постоянно есть работа — их обезвреживание. Существующую базу нужно постоянно пополнять. Каждая программа делает это автоматически — напоминает вам о том, что антивирусная база устарела. Если ваш компьютер подключен к Интернету, то достаточно нажать **Обновить**, и программа сама скачает обновления. Если Интернета у вас нет, обновить базу проблематично.

Для проверки диска (флешки) на вирусы выполните следующие действия.

1. Вставьте диск (флешку), но НЕ ОТКРЫВАЙТЕ!

2. Откройте **Мой компьютер**.

3. Щелкните на значке диска правой кнопкой мыши и выполните команду **Проверить на вирусы**.

В появившемся окне будет отображаться процесс проверки и его результат. Когда компьютер закончит проверку, диск (флешку) можно открывать. Если обнаружен вирус, появится сообщение, в котором вам будет задан вопрос, что делать с зараженным файлом (**Лечить** либо **Удалить**). Естественно, прежде чем удалять, нужно попытаться вылечить файл. Если команды **Лечить** нет, то есть только один вариант — удалить зараженный файл. Если вы его не удалите, вирус будет размножаться и наносить вред компьютеру.

Просмотр изображений

На компьютере может храниться абсолютно любая информация — тексты, видео, изображения и музыка. К изображениям относятся любые картинки и фото. Компьютер идентифицирует их по расширению — `.jpg`, `.jpeg`, `.bmp`, `.psd`, `.tif` и т. д. Запоминать расширения вам не нужно, потому что компьютер знает их и автоматически обозначает данные файлы специальным значком, например таким . По расширению компьютер также определяет, какую программу открыть для просмотра. Если установлен пакет программ Microsoft Office, то есть и программа для просмотра изображений — Microsoft Office Picture Manager. Чтобы увидеть изображение, достаточно дважды щелкнуть на файле (рис. 85).

Рис. 85. Окно программы Microsoft Office Picture Manager

В этой программе можно не только просматривать изображения, но и изменять их.

Microsoft Office Picture Manager позволяет просматривать все файлы, которые находятся в папке, — достаточно нажимать стрелки влево и вправо, расположенные внизу окна программы. Для перехода к следующему изображению можно также пользоваться стрелками → и ← на клавиатуре. Для увеличения картинки необходимо перетащить ползунок **Масштаб** вправо или нажать клавишу «+» на ДОПОЛНИТЕЛЬНОЙ (ЦИФРОВОЙ) клавиатуре. Уменьшение выполняется по аналогии — перетягивайте ползунок влево или нажимайте клавишу «−».

Для поворота картинки на 90° используют инструменты (поворот против и по часовой стрелке соответственно).

Интернет

Что такое Интернет

Начнем знакомство с Интернетом с представления о том, что такое *компьютерная сеть*. Если взять два компьютера и соединить их с помощью специального кабеля, получится небольшая, но уже компьютерная СЕТЬ, и, работая на одном компьютере, вы можете использовать ресурсы (документы, программы, фильмы и т. д.), находящиеся на другом ПК вашей мини-сети. Теперь соединим 100 компьютеров: возможностей уже гораздо больше, потому что вы получили доступ к остальным 99 источникам информации. Для таких ситуаций для удобной работы и добавления различных функций и возможностей разработаны специальные программы, которые позволяют «разговаривать» с человеком, находящимся в вашей сети, искать информацию по определенным признакам (только видео или только фото), обмениваться ею и т. д.

В этом примере все очень упрощено, но общая идея организации компьютерной сети именно такова.

Теперь представьте, что у нас не 100, а миллионы компьютеров, подключенных к сети. Это уже глобальная компьютерная сеть — *Интернет*. Пользователей у нее миллионы, и информации — огромное количество. Как известно, все люди разные, поэтому и данные вы можете найти самые различные — как полезные, так и абсолютно бесполезные, а также вдобавок навязчивую рекламу, предложения оскорбительного характера, множество ложных фактов, выдуманные истории и прочее, прочее, прочее. Конечно, при таком объеме нужны более мощные компьютеры, основное назначение которых — хранение информации с возможностью доступа к ней 24 часа в сутки. Такие компьютеры называются *серверами*.

К примеру, если вы написали электронное письмо знакомому или родственнику, живущему в другой стране или просто в соседнем доме, оно сначала попадает на сервер, а уже оттуда — к адресату. Причем если ваш знакомый в данный момент еще не включал компьютер, письмо будет ждать его на сервере, а как только он появится в Интернете — будет мгновенно доставлено, как будто оно уже лежало в его ящике и дожидалось прочтения.

Подключение к Интернету

Существуют различные способы подключения к Интернету:

- посредством телефонного кабеля;
- через специальный кабель;
- беспроводное.

Если вы решили подключиться к Интернету через телефонный кабель (что в принципе удобно, потому что не нужно проводить специальный кабель к вашему компьютеру, однако такой способ подключения имеет недостатки), то вам не обойтись без специального посредника между вашим компьютером и телефонной линией. Это *модем* — устройство преобразования информации для ее передачи через телефонный кабель. Модем может быть встроен в ваш системный блок (это обсуждают при покупке) или приобретен и подключен отдельно.

ЗАПОМНИТЕ

Если вы подключены к Интернету посредством модема, то все время, пока вы будете находиться в Глобальной сети, ваш

телефон будет занят. Платить в этом случае, кстати, придется не только за Интернет, но и за телефон.

Однако просто взять и соединить компьютер с каким-то там Интернетом, который пока и представить-то сложно, нельзя. Одним из перечисленных выше способов можно подключиться к серверу, а через него-то и идет весь обмен информацией. Вот этими серверами и владеет *провайдер* (поставщик интернет-услуг). Ему вы платите деньги за подключение.

Платить можно тоже по-разному. Во-первых, это может быть абонентская плата, как за телевидение или горячую воду: заплатив определенную сумму, вы получите доступ к Интернету. Вам будет полагаться определенное количество информации, которое вы сможете отправить или получить в течение месяца. За превышение этого лимита придется доплатить. Может быть и неограниченный доступ к Интернет, но в этом случае сумма абонентской платы будет существенно больше.

Во-вторых, вы вправе пользоваться Интернетом только при необходимости — по карточке. Покупая определенную карточку, вы выбираете, за что платить:

* за время, проведенное в Сети (при этом вы сможете получить (скачать) любой объем информации, главное — уложиться в купленное время);

* за объем информации, который вы отправите либо получите (пока не закончится купленный вами лимит информации, вы можете пользоваться Интернетом).

ЗАПОМНИТЕ

Получение информации из Интернета происходит не только после того как вы, выбрав, например интересующую книгу, нажали Скачать. Вы уже получили информацию, если просто открыли какую-либо интернет-страницу (и чем больше картинок и фото на открытой странице, тем больше объем полученной информации), поэтому необязательно скачивать фильмы и музыку или архивы текстовых документов, чтобы быстро исчерпать

лимит на получение информации, достаточно просто читать новости, просматривать изображения и т. д. ВСЕ, что вы делаете в Интернете, начиная с момента подключения, — это ОБМЕН информацией (получение или отправка оплаченных мегабайтов). Безусловно, самый быстрый способ их потратить — это скачать фильм или несколько музыкальных произведений. Самым «безобидным», то есть дешевым, является поиск информации (без скачивания), отправка и получение электронных писем, НЕ СОДЕРЖАЩИХ прикрепленных к ним файлов большого объема, и общение в различных чатах, то есть работа с ТЕКСТОВОЙ информацией.

Допустим, вы подключились к Интернету. Как в нем работать? Как вы уже знаете, вся работа на компьютере организована с помощью программ. У каждого приложения свое назначение, соответственно, есть программа и для работы с Интернетом. Она называется *браузером*. В операционную систему Windows такая программа уже встроена — это Internet Explorer. Существуют и другие браузеры, в чем-то более удобные и простые, однако назначение у них общее — работа с Интернетом. Главное — научиться пользоваться одним из них, в дальнейшем освоить другой не составит труда.

Таким образом, для подключения к Интернету понадобится:

- компьютер;
- или модем, или кабель, или беспроводное подключение;
- провайдер (поставщик Интернета);
- оплата услуг провайдера.

Программа для работы у вас уже есть — Internet Explorer.

Основные понятия

Как все выглядит «с другой стороны Интернета»? Как представляется информация, которая в нем находится?

Вся информация представлена в Интернете в виде страниц, на которых, кроме текста, могут находиться различные изображения и ссылки на другие страницы или объекты (файлы) — *гиперссылки*.

Гиперссылка — это объект (слово, предложение, картинка), при щелчке на котором можно перейти на другую страницу. Часто гиперссылки выделяются ЦВЕТОМ; при подведении указателя мыши к ссылке он принимает вид РУКИ, как бы приглашая вас нажать. Каждая интернет-страница, как правило, содержит множество гиперссылок, поэтому нужно быть внимательным и стараться НЕ ЩЕЛКАТЬ на них без надобности.

Несколько интернет-страниц, объединенных тематически, образуют *сайт*.

Каждый сайт имеет имя, по которому вы легко можете найти его. Это название состоит из частей (доменов), отделенных точками. Такая система записи называется *доменной*. Например:

http://home.damotvet.ru/

Имя сайта здесь — home.damotvet.ru.

Домен главного уровня находится справа, в данном случае это ru. говорит о том, что сайт российский, но вовсе не означает, что его может посещать только россиянин. Сайт доступен ЛЮБОМУ пользователю из любой страны.

Так, например, сайты с доменом edu — образовательные (от английского *education* — образование), com — коммерческие (от английского *commerce* — коммерция), gov — правительственные (от английского *government* — правительство).

Обозначение страны для доменной системы утверждается в глобальном масштабе. Вот примеры индексов некоторых стран (табл. 4).

Таблица 4. Примеры доменов разных стран

Страна	Беларусь	Индия	Китай	США	Германия	Франция	Казахстан	Велико-british	Украина
Домен	by	in	cn	us	de	fr	kz	uk	ua

Все имена сайтов пишутся латинскими буквами. Как правило, имя сайта говорит о его тематике:

- http://pogoda.ru/ — прогноз погоды;

- www.sadyogorody.ru/ — советы садоводам и огородникам, статьи для дачников;

- www.smi.ru/ — средства массовой информации в Интернете;

- http://www.uzelok.ru/ — сайт по вязанию.

....

ЗАПОМНИТЕ

При вводе имени сайта http:// и www можно опускать, а набирать только, например pogoda.ru, — компьютер вас поймет. Однако если вы ошибетесь хотя бы в одной букве, то не перейдете на нужный сайт, поэтому будьте внимательны при вводе имени сайта.

....

Возможностей, предоставляемых Интернетом, великое множество. Однако не думайте, что вы найдете только то, что ищете. Кроме различных тематических сайтов и удобства электронной почты, вы еще получите массу вредной и ненужной информации, например подключаемые без вашего желания порносайты и спам (рекламную рассылку, которая приходит на ваш электронный ящик). Вы должны быть готовы к тому, что среди огромнейшего объема информации, находящейся в Интернете, нужно УМЕТЬ ИСКАТЬ необходимую. Не стоит также всерьез относиться ко всему, что вы здесь найдете.

Возможности Интернета:

- доступ к большому объему информации (электронные библиотеки);

- общение в режиме реального времени;

- электронная почта (быстрая доставка писем любому адресату);

- пересылка (обмен) большого объема информации.

Знакомство с Internet Explorer

Чтобы начать работу с Интернетом, сначала его нужно подключить. Будем считать, что вы уже подключились, — соединение установлено. Начинаем работу. Загрузите (откройте) программу для работы с Глобальной сетью — нажмите кнопку Пуск и выполните команду Все программы ▶ Internet Explorer. Откроется следующее окно (рис. 86).

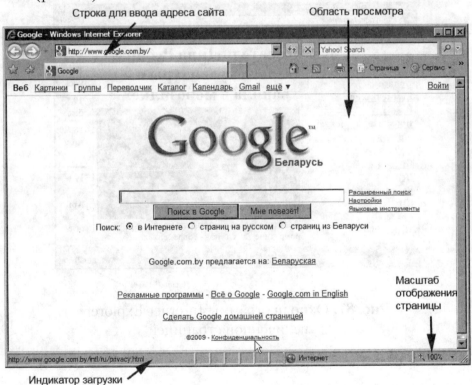

Рис. 86. Окно программы Internet Explorer

205

Окно этой программы содержит специфическую часть — для ввода адреса сайта, на который вы хотите перейти. Этот сайт будет отображаться в основной области окна, а чтобы вы могли ориентироваться в процессе загрузки сайта, есть нижняя строка (строка состояния), на которой расположен индикатор. Когда сайт загрузится полностью, в этой строке будет написано Готово или не будет ничего, что также говорит о 100%-й загрузке.

В правом нижнем углу расположена кнопка изменения масштаба отображения страницы (рис. 87). Если основной текст написан слишком мелким шрифтом, читать который вам неудобно, можно воспользоваться этой кнопкой — нажать маленькую черную стрелку и из раскрывшегося списка выбрать нужный вариант. Страницу можно увеличить до 400 %.

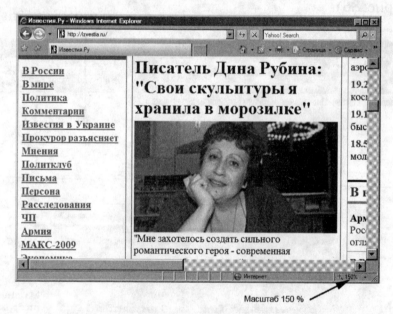

Рис. 87. Окно программы Internet Explorer
с увеличенной страницей

· ·
ЗАПОМНИТЕ

При увеличении масштаба интернет-страница вряд ли поместится на экране (все зависит от диагонального размера вашего монитора), поэтому придется пользоваться полосами прокрутки или колесиком мыши. Не забывайте также, что вы всегда можете вернуться к начальному, 100%-му, размеру страницы.

Загрузка сайта

Когда вы открыли (загрузили) Internet Explorer, на основной странице ничего не отображено либо автоматически загрузился какой-то сайт. Этот сайт называется *домашней страницей*. Если вы часто пользуетесь одним и тем же сайтом, например всегда в первую очередь проверяете свой электронный ящик, когда заходите в Интернет, целесообразно сделать домашним сайт, на котором зарегистрирован ваш ящик.

Пример. Сделаем домашней (еще говорят стартовой) страницей сайт http://mail.ru/.

Выполните команду меню Сервис ▸ Свойства обозревателя и перейдите на вкладку Общие (рис. 88).

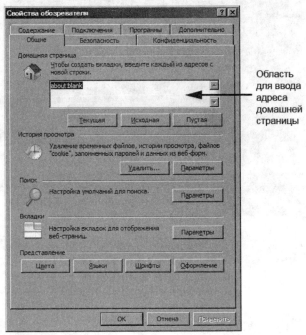

Рис. 88. Вкладка Общие окна свойств обозревателя

Установите курсор в поле области **Домашняя страница** и введите `mail.ru` (компьютеру такого адреса достаточно). Нажмите кнопки **Применить**, а затем — **ОК**.

ЗАПОМНИТЕ

Если в качестве домашней должна появляться пустая страница, в этом окне нажмите кнопку Пустая, а затем — ОК (рис. 89).

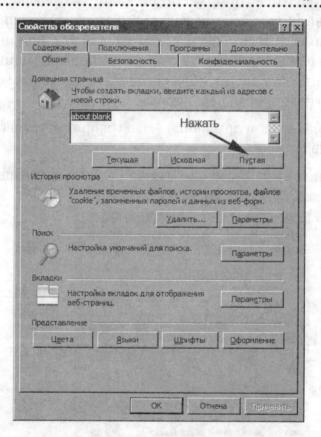

Рис. 89. Так вы выберете пустую страницу в качестве домашней

Чтобы зайти на какой-то сайт, нужно знать его адрес. О том, как искать интересные сайты, будет рассказано ниже.

Предположим, что адрес вы знаете. В окне Internet Explorer установите курсор в строку ввода адреса (вверху слева). В принципе достаточно просто щелкнуть кнопкой мыши (адрес домашней страницы выделится), нажать Delete (удалится старый адрес) и ввести адрес нового сайта. После этого необходимо нажать Enter, и загрузка начнется.

Вы можете одновременно открывать несколько интернет-страниц — для этого нужно открыть еще одну вкладку в окне Internet Explorer. Это делается так.

- *Способ 1: выполните команду меню* Файл ▶ Создать вкладку.

- *Способ 2: используйте комбинацию* Ctrl+T.

- *Способ 3: нажмите кнопку* Создать вкладку *(рис. 90)*.

Рис. 90. Кнопка Создать вкладку

209

На новой вкладке есть все те же элементы. В строке адреса введите имя нового сайта и нажмите Enter. Для перехода на другую вкладку достаточно просто щелкнуть на ней.

ЗАПОМНИТЕ

Если вы одновременно откроете много вкладок, то процесс загрузки замедлится.

Как закрыть вкладку

Чтобы закрыть ненужную вкладку (а при длительной работе, скорее всего, вкладок у вас станет много), следует перейти на нее и нажать крестик рядом с названием вкладки (рис. 91).

ЗАПОМНИТЕ

Нажав крестик в верхнем правом углу, вы закроете ВСЕ вкладки, а также окно программы Internet Explorer.

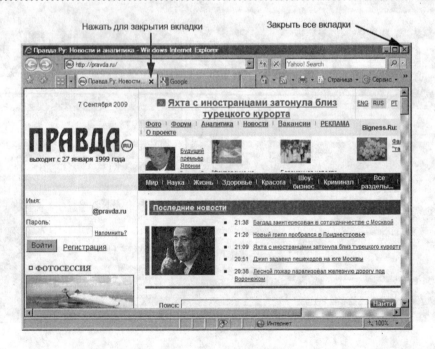

Рис. 91. Кнопки закрытия

Важно знать, что при вводе имени сайта может появиться список посещенных ранее страниц (он раскроется в области адреса). Чтобы выбрать среди них нужную (если она есть), достаточно щелкнуть на ней.

ЗАПОМНИТЕ

В конце строки адреса есть черная стрелка, которая говорит о наличии списка. Дело в том, что, когда вы вводите адрес сайта и нажимаете Enter, этот адрес автоматически запоминается, поэтому при нажатии черной стрелки появится список ранее вводимых вами сайтов. Чтобы выбрать из него какой-то сайт, следует щелкнуть на нужном адресе.

Работа с интернет-страницами

Основные действия, которые вы можете выполнять со страницами, представлены в виде кнопок в верхней части окна программы.

Ваше основное действие — это просмотр. При просмотре активно пользуйтесь полосами прокрутки и колесиком мыши.

Будьте внимательны со ссылками, точнее, с гиперссылками. Если вы случайно нажали гиперссылку, то автоматически перейдете на другую страницу и нужно будет нажать кнопку Назад , чтобы вернуться на исходный сайт. Если вы ушли со страницы, но решили вернуться, следует воспользоваться кнопкой Вперед .

Закрыть страницу — значит закрыть ВКЛАДКУ, а не все окно программы.

Печать страницы из Интернета

Если вам нужно сохранить информацию, которая находится на странице, можно распечатать всю страницу либо скопировать текст.

Если вам понравился сайт или определенная страница, рекомендуется просто сохранить адрес, чтобы затем, введя его в адресную строку, сразу просмотреть. Чтобы сохранить адрес (еще говорят ссылку) страницы либо сайта, нужно выполнить следующие действия.

1. Выделите ссылку (щелкните в строке адреса — ссылка выделится цветом).

2. Скопируйте ссылку одним из следующих методов.

Способ 1: правой кнопкой мыши щелкните НА ВЫДЕЛЕННОМ и выполните команду Скопировать.

Способ 2: используйте сочетание клавиш Ctrl+C.

3. Сохраните ссылку. Для этого сначала откройте Word (программу для работы с текстом), а затем вставьте в новый документ скопированную ссылку как обычный фрагмент текста одним из следующих методов.

Способ 1: нажмите кнопку Вставить Вставить *на вкладке* Главная.

Способ 2: правой кнопкой мыши щелкните в СВОБОДНОЙ области листа и выполните команду Вставить;

Способ 3: используйте сочетание клавиш Ctrl+V.

ЗАПОМНИТЕ

Не забудьте сохранить документ Word! Удобно, когда ссылки сохраняются в один документ. Так, сохранив одну ссылку в документе, следующую сохраните туда же. Будет понятнее, если при этом писать пояснение, что это за ссылка, иначе документ со ссылками превратится для вас в набор символов.

Кроме обычного просмотра, есть возможность печати всей интернет-страницы. Чтобы распечатать страницу, которую вы в данный момент просматриваете, нужно нажать кнопку Печать (рис. 92).

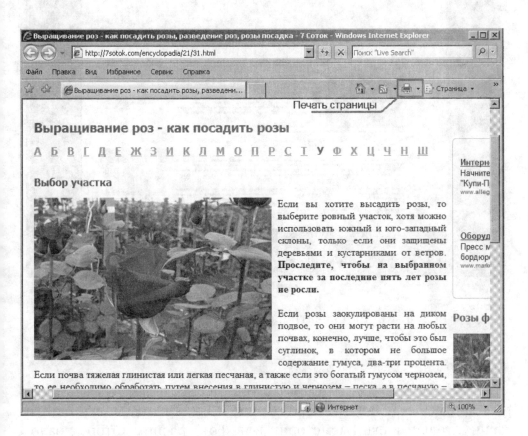

Рис. 92. Кнопка Печать

Однако лучше не спешить и сначала нажать стрелку кнопки Печать, чтобы выполнить команду Предварительный просмотр. В открывшемся окне ваша страница отобразится так, как будет выглядеть на бумаге. Здесь можно посмотреть, как разместится информация, если лист перевернуть (альбомная ориентация). Если предложенное размещение текста и картинок вам нравится, можно напечатать страницу, нажав кнопку Печать (рис. 93).

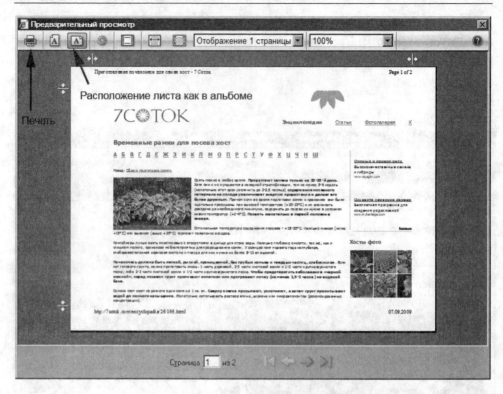

Рис. 93. Кнопки печати и ориентации страницы в окне предварительного просмотра

Занимаясь поиском информации в Интернете, можно найти занимательные факты, истории или фотографии, которые захочется сохранить, причем сохранение всей страницы в этом случае не нужно. Рассмотрим, как можно сохранить текст.

1. Сначала выделите фрагмент. В Internet Explorer это делается следующим образом.

Способ 1: используйте выделение левой кнопкой мыши (подведите указатель к началу фрагмента, нажмите левую кнопку и тяните выделение до конца текста).

Способ 2 (на мой взгляд, более удобный): сначала дважды щелкните на первом слове фрагмента; прокрутите страницу, если это нужно; затем нажмите клавишу Shift *и, удерживая ее, щелкните на последнем слове.*

2. Скопируйте выделенный фрагмент одним из следующих методов.

Способ 1: выполните команду меню Правка ▸ Копировать.

Способ 2: используйте сочетание клавиш Ctrl+C.

Способ 3: правой кнопкой мыши щелкните НА ВЫДЕЛЕННОМ ФРАГМЕНТЕ и выполните команду Копировать.

3. Откройте чистый лист — новый документ Word (Пуск ▸ Все программы ▸ Microsoft Office ▸ Microsoft Office Word 2007).

ЗАПОМНИТЕ

Ели документ уже открыт, достаточно просто перейти в окно Word — щелкнуть на названии открытого документа на Панели задач (в самом низу экрана).

4. Вставьте скопированный фрагмент.

Способ 1: нажмите кнопку Вставить *на* Панели инструментов.

Способ 2: правой кнопкой мыши щелкните в том месте, куда вставляете фрагмент, и выполните команду Вставить.

Способ 3: используйте сочетание клавиш Ctrl+V.

Сохранение и печать такого текста осуществляются аналогично текстовому документу.

Что делать с текстом, понятно, а как сохранить рисунок? Чтобы сохранить рисунок именно рисунком, нужно щелкнуть на нем правой кнопкой мыши и выполнить команду Сохранить рисунок как. В появившемся окне следует выбрать, куда и под каким именем сохранять, и нажать кнопку Сохранить.

....

ЗАПОМНИТЕ

Обращайте внимание на гиперссылки Скачать (как правило, это просто слово, выделенное цветом и/или подчеркиванием). Нажатие такой ссылки позволяет сохранить на компьютер «привязанную» к ней информацию. Так, например, если вы нашли в Интернете книгу, то, вместо того чтобы читать ее с экрана, вы можете скачать ее — небольшой файл, а сжатый, то есть архив. Об этом будет говорить ссылка Скачать (или Загрузить, или DownLoad). После ее нажатия появится окно, в котором нужно указать путь, куда скачивать (сохранять) данный файл. После скачивания достаточно открыть Мой компьютер, перейти в папку, куда вы сохранили файл, распаковать его и читать.

....

Поиск информации

Если вам понадобилась какая-то информация, и вы не знаете ни одного сайта, на котором можно ее посмотреть, следует воспользоваться специальными сайтами, основное назначение которых — поиск. Поиск информации на них осуществляется по ключевым словам (*запросу*).

Сайты для поиска информации (их еще называют *поисковиками*):

- http://www.aport.ru;
- http://www.yandex.ru;
- http://www.google.com;
- http://www.rambler.ru.

В результате поиска вы получите целый список сайтов, на которых встречаются введенные вами ключевые слова, а кроме того, все документы, в которых эти слова также упоминаются.

Чем пространнее вы сформулируете свой запрос, тем больше будет список, а, значит, вероятность успеха ваших поисков снизится, поэтому очень важно ввести такие слова, которые будут отображать суть вашего запроса и будут поняты однозначно.

Ключевые слова вводятся в специальное поле поиска. Затем следует нажать Enter. Через несколько секунд должен появиться список сайтов, на которых были найдены эти слова, и ссылки — предложение из контекста, чтобы по нему вы определили, стоит посещать данный сайт или нет (рис. 94).

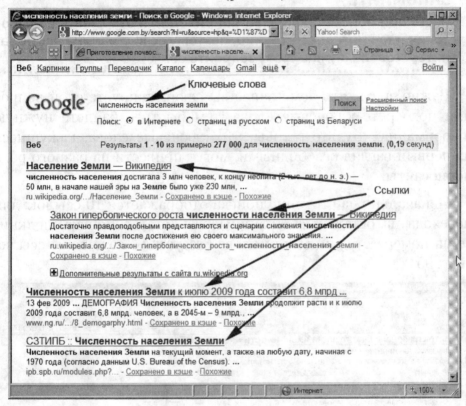

Рис. 94. Результаты поиска

Так, если, например, ввести численность населения стран мира и нажать Enter, то поисковая система Google через 0,21 секунды отобразит результаты поиска. Обратите внимание на их количество — 345 000! Это число найденных страниц с ключевыми словами. В самом начале списка идут сайты, на которых слова запроса были найдены с максимальным совпадением. Под каждой ссылкой есть предложение с ключевыми словами.

Если вы решили перейти на заинтересовавший вас сайт, нажмите гиперссылку (она выделена более жирным шрифтом и подчеркнута).

ЗАПОМНИТЕ

Часто при поиске информации приходится открывать большое количество интернет-страниц, поэтому если страница вас не заинтересовала, лучше сразу закройте ее.

Важно знать, что чем точнее вы сформулируете свой вопрос или подберете ключевые слова, тем быстрее найдете нужную информацию. Будьте готовы, что ключевые слова, кажущиеся на первый взгляд безобидными, могут привести на разного рода порносайты.

Изначально на странице поиска отображается 10 ссылок; для перехода на остальные страницы результатов поиска щелкните на номере страницы или слове Следующая — это тоже ссылка (рис. 95).

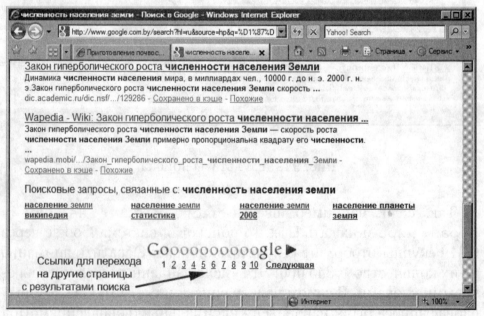

Рис. 95. Номера следующих страниц с результатами поиска

Если результаты поиска вас не удовлетворили и вы так и не нашли нужную информацию, можно воспользоваться другим поисковым сайтом. Каждый поисковик применяет различные способы нахождения информации, поэтому если не повезло на одном, то, возможно, на другом сайте найдется то, что вам нужно.

Электронная почта

Электронная почта — это аналог обычной почты, но ее основное достоинство — быстрота. Независимо от местонахождения адресата, посредством Интернета письмо будет доставлено в считанные секунды. Кроме теплых слов, вы вправе отправить фотографии, музыку или документы. Чтобы вы могли пользоваться услугами электронной почты, у вас должен быть подключен Интернет и создан электронный ящик, с которого вы будете отправлять письма и куда будут приходить ответы на них.

Независимо от того, где вы создали свой ящик, отправлять письма вы сможете абсолютно всем адресам, где бы их ящики ни были зарегистрированы.

Адрес электронной почты состоит из двух частей, разделенных знаком @ (в обиходе этот значок называют *собакой*): непосредственно имени и домена (сайта), на котором этот адрес зарегистрирован:

Имя электронного ящика@имя сайта

Первую часть вы придумываете сами, вторая присваивается автоматически.

Вот, например, адрес электронного ящика: po4ta@rambler.ru. Пользователь (владелец этого ящика) придумал имя po4ta, а регистрировался он на сайте http://rambler.ru.

219

Создание электронного ящика

В качестве примера рассмотрим создание ящика на сайте http://mail.ru/.

1. Подключитесь к Интернету.

2. Загрузите Internet Explorer (Пуск ▸ Программы ▸ Internet Explorer).

3. В строку адреса введите `mail.ru` и нажмите Enter.

4. После загрузки страницы в верхнем левом углу найдите ссылку Регистрация в почте и щелкните на ней (рис. 96).

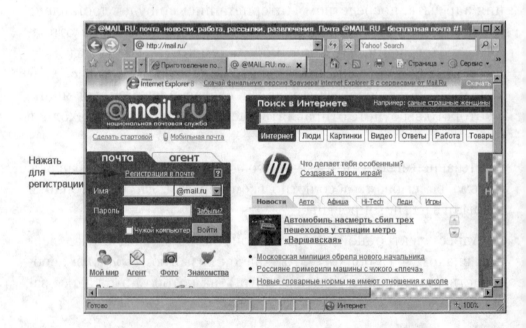

Рис. 96. Ссылка для регистрации ящика

После нажатия этой ссылки вы перейдете к заполнению анкеты. Нужно заполнить все поля, отмеченные звездочкой (рис. 97, 98).

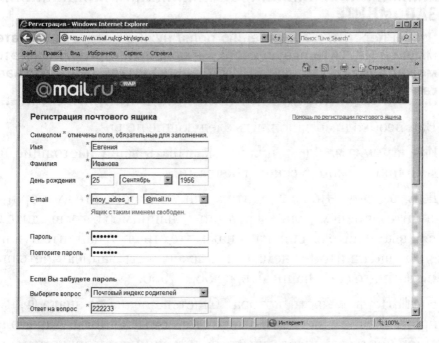

Рис. 97. Анкета пользователя

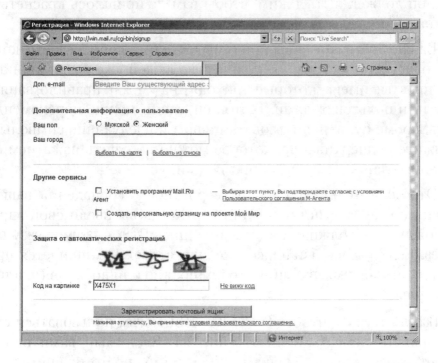

Рис. 98. Дополнительные сведения о пользователе

ЗАПОМНИТЕ

Чтобы перейти к заполнению поля, нужно подвести указатель мыши и НАЖАТЬ левую кнопку — появится курсор. После этого можно вводить данные. ВНИМАТЕЛЬНО ЧИТАЙТЕ все, что написано по поводу вашего e-mail и пароля!

Вам необходимо заполнить следующие поля.

Имя и **Фамилия**. Здесь нужно указывать ваши настоящие имя и фамилию, можно русскими буквами.

День рождения. Число вводите вручную (поставьте курсор и напечатайте), причем если вы родились, например 6-го, введите 06. Месяц выбирайте из списка — нажмите стрелку, найдите нужный месяц и щелкните на нем. Год должен быть записан четырьмя символами, то есть, например, не 56, а 1956.

E-mail. Первую часть, которая будет записана до знака @, нужно придумать. Лучше пусть имя будет осмысленным. Адрес электронной почты вы будете давать родственникам и знакомым, значит, он должен быть таким, чтобы вам не пришлось краснеть за его название.

Важно знать: когда вы придумываете имя ящика (часть, которая будет до @), огромное количество людей уже имеет ящики и все простые имена, которые приходят на ум, как правило, заняты другими пользователями. В этой ситуации можно порекомендовать, кроме букв, использовать цифры и следующие символы: _ (нижнее подчеркивание, которое можно получить нажатием сочетания клавиш Shift+-); . (точка); - (минус).

Это значительно уменьшит вероятность совпадения вашего имени с уже зарегистрированными. Когда вы ввели свой адрес, подождите — должна появиться надпись **Ящик с таким именем свободен**. Если введенный адрес уже существует, вам придется придумать другое имя, заменив его полностью или добавив (удалив) символы.

Пароль. Нужен, чтобы ТОЛЬКО ВЫ могли пользоваться своим ящиком: писать и читать письма. Вводимый вами пароль будет отображаться значками (·······), поэтому внимательно смотрите, какие клавиши нажимаете, какой установлен язык и не включен ли CapsLock. Учтите, что parol и Parol — это два разных пароля, потому что буквы p и P компьютер воспринимает как различные символы.

Чтобы не забыть пароль, а он должен состоять из латинских букв и может содержать ЦИФРЫ, в качестве пароля советуем взять какое-либо русское слово и вводить его, глядя на русские буквы, при включенной английской раскладке клавиатуры. Тогда ваше русское слово, написанное английскими буквами, будет выглядеть как бессмысленный набор символов. Для усложнения пароля можете добавить цифры. Например, если пароль будет почта12 (так ВЫ его запоминаете), английскими буквами он будет выглядеть как gjxnf12 (вот это уже настоящий пароль!).

ЗАПОМНИТЕ

Если вы решили обменяться с кем-либо адресами электронной почты, следует давать только сам адрес, например Moy_adres@mail.ru (вторая часть адреса читается как «собака мейл ру»). Пароль должны знать только вы!

Повторите пароль. Это поле нужно, чтобы компьютер убедился, что вы сами помните введенный пароль. Если пароли не будут совпадать, придется вводить их заново, более внимательно.

Выберите вопрос. Этот вопрос будет нужен, если вы забудете свой пароль — тогда паролем будет служить ответ на выбранный вами вопрос. Чтобы выбрать вопрос из списка, нужно сначала нажать черную стрелку, а затем щелкнуть на вопросе.

Ответ на вопрос. Ответ на вопрос — это будущий пароль, поэтому он должен быть правдивым. Отвечайте так, как вы отвечаете обычно. Опять же, следите за заглавными буквами! Если вы выбрали вопрос Девичья фамилия матери и ввели ответ иванова, то, когда вы забудете пароль и ответите Иванова, этот ответ будет неверным! Запомните, какой вопрос вы выбрали, и ОБЯЗАТЕЛЬНО — какой ответ ввели.

Ваш пол. Здесь следует установить переключатель в нужное положение, для чего щелкните в кружке возле правильного варианта — в нем появится точка.

Ваш город. Поле необязательное, поэтому вы вправе заполнить его или оставить пустым. Писать название города можно русскими буквами.

В области **Другие сервисы** лучше отказаться от дополнительной установки программ (убрать флажки рядом с названиями сервисов). Чтобы убрать флажок, щелкните на нем.

В конце вы увидите код на картинке. Внимательно посмотрите на него и введите символы, которые на ней изображены, в соответствующее поле.

Когда все обязательные поля заполнены, можно нажать **Зарегистрировать почтовый ящик.**

Если все поля заполнены правильно, вы автоматически попадете в свой ящик (рис. 99).

Рис. 99. Ваш электронный ящик

⤷ Вопросы

Как правильно выйти из своего электронного ящика?

Когда работа с почтой закончена (вы отправили письма всем, кому хотели, и прочитали полученные), нужно правильно выйти из ящика. Просто ЗАКРЫТЬ окно будет НЕВЕРНО! Для выхода из электронного ящика нужно нажать кнопку Выход, расположенную в правом верхнем углу окна. После ее нажатия вы вернетесь на первоначальную страницу (рис. 100).

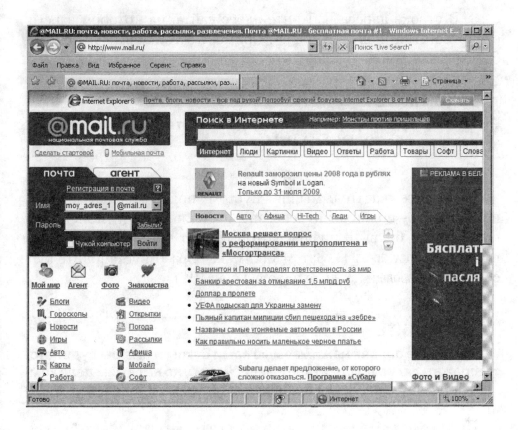

Рис. 100. Основная страница

225

Как зайти в свой электронный ящик

Когда вы создали свой электронный адрес, регистрироваться больше НЕ НУЖНО! Теперь у вас есть ящик, и, чтобы отправить или получить почту, вам нужно просто в него зайти.

Для получения доступа к почте (входа в электронный ящик) вы должны помнить адрес своей почты и пароль.

Итак, ваша задача — посмотреть свою электронную почту.

1. Подключитесь к Интернету.

2. Загрузите Internet Explorer (Пуск ▶ Все программы ▶ Internet Explorer).

3. В строке адреса наберите адрес сайта, на котором зарегистрирован ваш ящик. В нашем примере это www.mail.ru (как уже было сказано, можно вводить просто mail.ru).

ЗАПОМНИТЕ

Если вы зарегистрировались на одном сайте, то посмотреть свою почту можно ТОЛЬКО НА НЕМ.

Подведите указатель мыши к пустому полю Имя и нажмите левую кнопку — появился курсор, значит, можно вводить электронный адрес — буквы и цифры, которые идут до знака @ (в нашем примере — moy_adres_1). Затем таким же образом установите курсор в поле Пароль и введите пароль (рис. 101).

ЗАПОМНИТЕ

При вводе пароля нажимаемые вами буквы и цифры будут отображаться символами (например, ●●●●●●), но на самом деле компьютер «видит» буквы и цифры, которые вы набираете.

При вводе пароля важно, чтобы был включен английский язык, а также то, какие буквы вы вводите — прописные или строчные (проверьте, не включен ли CapsLock). Заполнив нужные поля, нажмите кнопку Войти, расположенную под полем Пароль.

Рис. 101. Введите название ящика и пароль

Если при вводе имени или пароля вы допустили ошибку, появится окно, в котором нужно будет (очень внимательно) ввести их еще раз (рис. 102).

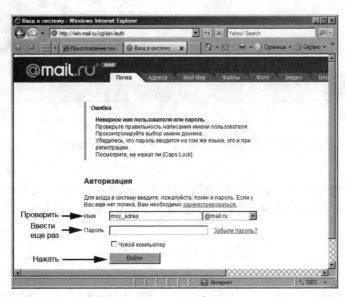

Рис. 102. При возникновении ошибки введите название ящика и пароль еще раз

Если вы ввели все правильно, то сможете увидеть содержимое своего ящика.

Кстати, если вы — единственный пользователь на данном компьютере, то адрес электронной почты будет сохранен при последующих посещениях сайта (рис. 103).

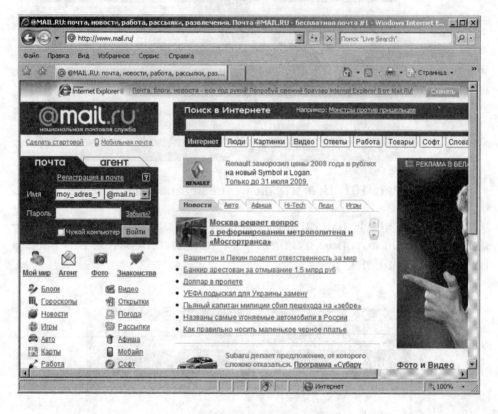

Рис. 103. Ваш адрес сохранен

Тогда для входа в ящик достаточно будет ввести пароль, а затем нажать кнопку Войти (или Enter на клавиатуре).

Проверка почты

Зайдя в ящик, вы увидите группы писем — папки (рис. 104). Рассмотрим их назначение.

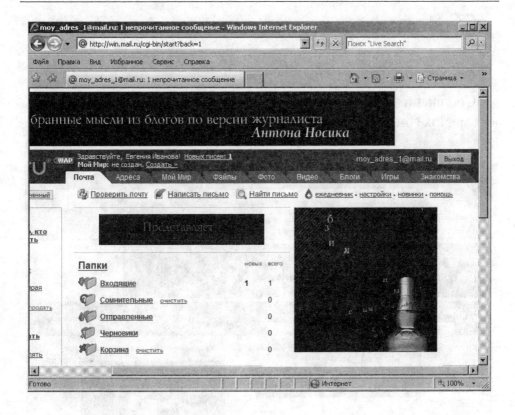

Рис. 104. Папки с письмами

Все письма, находящиеся в вашем почтовом ящике, автоматически сортируются по папкам:

- **Входящие** — группа писем, которые вы получили (как прочитанные вами, так и новые);

- **Сомнительные** — также полученные вами письма, которые компьютер посчитал спамом (рекламной рассылкой);

- **Отправленные** — все письма, которые вы отправляли;

- **Черновики** — заготовки ваших писем (написанные, но не отправленные письма);

- **Корзина** — все письма, которые вы удалили.

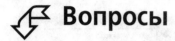

Вопросы

Как узнать, что мне пришло письмо?

Сообщение о том, что вам пришло письмо, можно найти в нескольких местах (рис. 105 (все сообщения о новом письме выделены)).

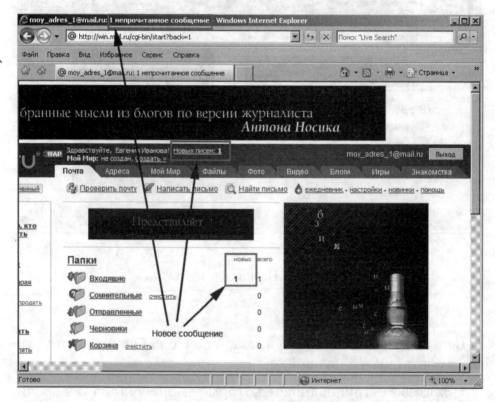

Рис. 105. Сообщения о новом письме

Чтобы прочитать новое письмо, нужно зайти в папку **Входящие**.
Подведите указатель мыши к названию папки (указатель примет вид руки, изменится также цвет букв) — это гиперссылка —
и щелкните на ней. Так вы зайдете в папку **Входящие**. Новое (не-
прочитанное) письмо будет выделено более ярким цветом. Чтобы
прочитать сообщение, щелкните на нем (указатель мыши изменится, и цвет гиперссылки — тоже) (рис. 106).

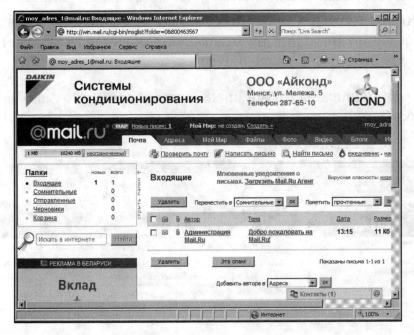

Рис. 106. Папка Входящие

Прочитав письмо, вы можете выполнить с ним следующие действия.

• Ответить (рис. 107).

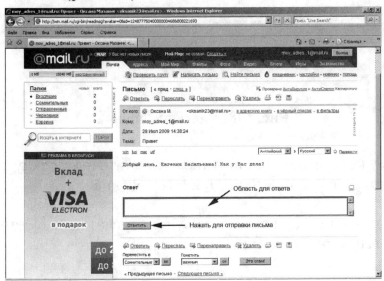

Рис. 107. Ответ на письмо

После самого письма есть область **Ответ** (пустое поле), в котором сразу можно написать ответ, установив в него курсор (подведя указатель мыши и щелкнув).

Чтобы написанное вами письмо ушло адресату, нужно нажать кнопку **Ответить**.

- Удалить (рис. 108).

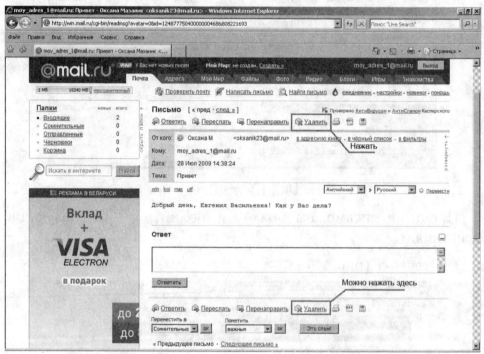

Рис. 108. Удаление письма

Для удаления прочтенного письма достаточно щелкнуть на соответствующей кнопке внизу или вверху окна.

- Распечатать (текст письма будет напечатан на бумаге, если у вас подключен принтер) (рис. 109).

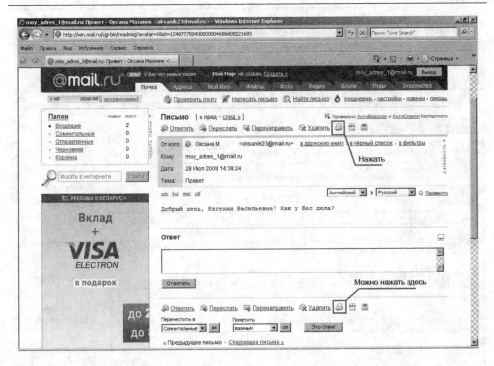

Рис. 109. Распечатать письмо

Для возврата в папку Входящие нужно щелкнуть на ее названии в левом верхнем углу страницы.

Как написать письмо

Чтобы написать письмо, необходимо зайти в электронный ящик и нажать кнопку ✍ Написать письмо (рис. 110).

Перед вами появится что-то вроде бланка: в самом верху — «конверт», ниже — письмо.

Заполнив поля «конверта», написав письмо, нужно нажать кнопку Отправить в самом низу страницы. Если указанный электронный адрес существует, письмо будет отослано, и появится сообщение, что ваше письмо отправлено.

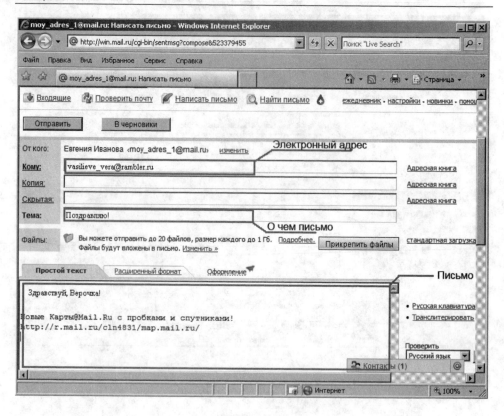

Рис. 110. Пишем письмо

ЗАПОМНИТЕ

Чтобы отправить письмо другому человеку, нужно знать АДРЕС ЕГО ЭЛЕКТРОННОЙ ПОЧТЫ.

Можно отправить письмо сразу нескольким адресатам, тогда в поле Копия следует ввести адрес другого получателя письма.

Написанное вами письмо автоматически сохраняется в папке Отправленные. Если вы не хотите его сохранять, снимите флажок Сохранить копию письма в папке "Отправленные" (щелкните на нем) в самом низу окна.

Как отправить с письмом документы

Кроме обычных слов, вместе с электронным письмом вы можете отправить фотографии, документы и небольшие видеоролики. Чтобы отослать с письмом какие-либо файлы, нажмите кнопку Прикрепить файлы (рис. 111).

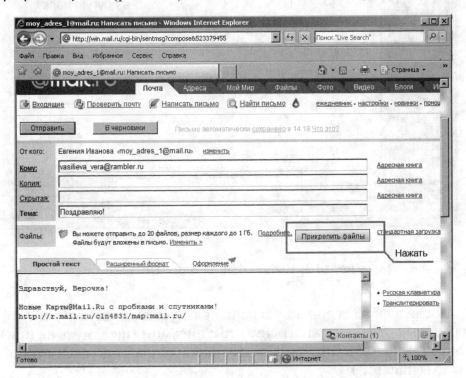

Рис. 111. Прикрепление файлов

В появившемся окне необходимо указать, где находится файл (документ, фото): нажмите стрелку списка Папка или сразу перейдите в Мой компьютер, нажав соответствующую кнопку слева (рис. 112).

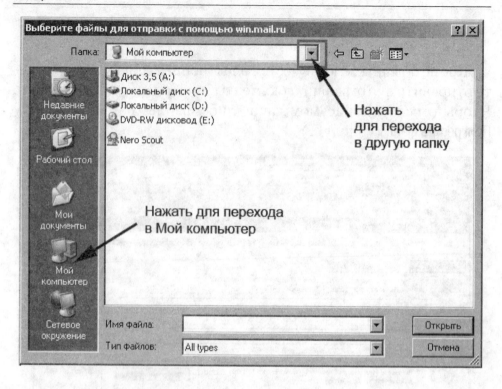

Рис. 112. Выбор файла для отправки

После перехода в нужную папку следует выделить объект, который вы хотите отправить вместе с письмом (щелкнуть на нем), а затем — нажать Открыть. Прикрепленный файл должен отобразиться (рис. 113).

ЗАПОМНИТЕ

Можно прикрепить несколько файлов (документов, фото). Все они присоединяются по одной и той же схеме: щелкните на кнопке Прикрепить файлы, выберите файл и нажмите Открыть.

Если вы передумали отправлять документ, нажмите красный крестик рядом с именем файла в письме.

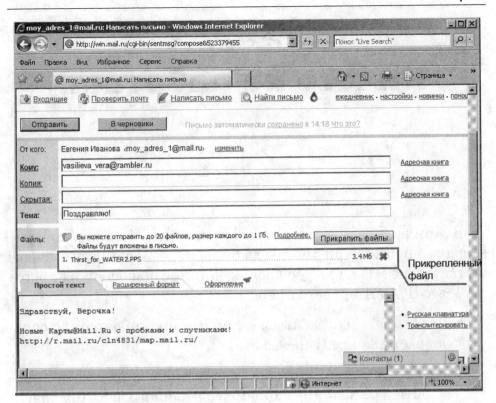

Рис. 113. В письме отобразился прикрепленный файл

Ничего не работает

В этом разделе мы рассмотрим различные ситуации, которые могут возникнуть при работе на компьютере. Запомните главное: всегда нужно ЧИТАТЬ сообщения, которые появляются на экране. У вас ВСЕГДА будет выбор:

- нажать OK — согласиться с тем, о чем компьютер вас спрашивает или предупреждает;

- щелкнуть Отмена — отменить действие, которое может произойти в результате, например случайного нажатия клавиши или если вы передумали производить операцию;

- закрыть окно, нажав крестик в правом верхнем углу, — проигнорировать сообщение.

Однако бывают внештатные ситуации, когда важно знать, что делать или, наоборот, НЕ ДЕЛАТЬ.

Ситуация 1. Компьютер не реагирует. Нажатие любых элементов на экране или клавиш на клавиатуре не приводит ни к каким действиям, но мышь работает.

Это означает, что ваш компьютер завис и его необходимо «привести в чувство». Возможны следующие варианты действий.

ЗАПОМНИТЕ

При перезагрузке компьютера все несохраненные документы автоматически удаляются.

238

Способ 1: Пуск ▸ Выключение ▸ Перезагрузка *(рис. 114)*.

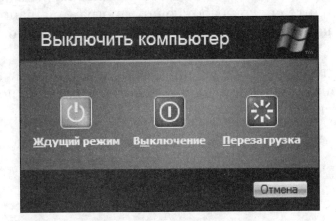

Рис. 114. Нажмите кнопку Перезагрузка

После этого компьютер начнет загружаться заново — экран на секунду погаснет, а затем появятся те же изображения, что и при включении.

Способ 2 (его применяют, когда не работает даже мышь, то есть ее указатель не двигается на экране): ДВА РАЗА нажать Ctrl+Alt+Delete.

До этого вам приходилось нажимать только две клавиши одновременно. Как нажать три? Все просто: сначала одной рукой нажмите Ctrl и Alt и удерживайте их, а свободной рукой нажмите Delete сначала один раз, затем — второй. После этого все клавиши можно отпустить.

Способ 3 (универсальный; подходит для случая, когда ни мышь, ни клавиатура не реагируют на ваши действия): нажать маленькую кнопку на системном блоке. Эта кнопка расположена рядом с кнопкой включения и называется Reset (произносится как «резет»). Она может быть не подписана, но всегда выполняет одно действие — перезагружает компьютер.

Ситуация 2. Вы работали с программой, и она перестала реагировать, а в самом верху рабочего окна, кроме имени программы, появилась надпись (Не отвечает). В этой ситуации необходимо закрыть неработающую программу. Здесь нужно быть внимательными.

Нажмите Ctrl+Alt+Delete ОДИН раз.

Появится окно **Диспетчер задач**. Перейдите на вкладку **Приложения**. Вы увидите список работающих программ, а напротив приложения, которое не работает, будет написано **Не отвечает** или **Не работает**.

Выделите неработающую программу (щелкните на ней) и нажмите кнопку **Снять задачу** — через некоторое время окно зависшего приложения исчезнет с экрана.

Приложения

Приложение 1
Операционная система

1. Определите, есть ли на **Рабочем столе** ярлыки.

2. Измените настройки **Рабочего стола**, выбрав из контекстного меню **Рабочего стола** пункт **Свойства**. Установите новый фон и выберите заставку. Вернитесь к первоначальным настройкам.

3. Переместите ярлыки к правому краю экрана. Выровняйте значки, используя команду **Упорядочить значки** контекстного меню **Рабочего стола**. Выполните команду **Упорядочить значки ▸ автоматически**. Попытайтесь переместить какой-либо значок.

4. Откройте окна **Мой компьютер, Корзина, Сетевое окружение**. Разместите их на экране. Расположите окна: каскадом, слева направо, сверху вниз (щелкните правой кнопкой мыши в свободной области **Панели задач** и выполните команду **Окна каскадом/Окна сверху вниз/ Окна слева направо**). Сверните все окна. Закройте все окна.

5. На **Рабочем столе** создайте папку (команда контекстного меню **Создать ▸ Папку**). Назовите ее своей фамилией. Удалите папку (клавиша **Delete** или команда **Удалить** контекстного меню). Откройте **Корзину** и найдите в ней свою папку. Очистите **Корзину**.

6. На диске D: создайте следующую структуру папок (рис. 115).

Рис. 115. Создайте такую структуру папок

7. Переименуйте папку Все задания в Моя папка (команда Переименовать контекстного меню или медленно двойной щелчок).

8. Переместите папки Задание 1 и Задание 2 из каталога Основная в Дополнительная (команда Вырезать ▸ Вставить).

9. Удалите папку Основная.

Приложение 2
Работа с текстом

1. Наберите текст по образцу (шрифт Times New Roman, размер 14) и сохраните файл под именем Памятник.docx.

А. С. Пушкин Exegi monumentum

Я памятник себе воздвиг нерукотворный, к нему не зарастет народная тропа,

Вознесся выше он главою непокорной Александрийского столпа.

Нет, весь я не умру — душа в заветной лире мой прах переживет и тленья убежит, и славен буду я, доколь в подлунном мире жив будет хоть один пиит.

Слух обо мне пройдет по всей Руси великой, и назовет меня всяк сущий в ней язык, и гордый внук славян, и финн, и ныне дикой тунгус, и друг степей калмык.

И долго буду тем любезен я народу,

Что чувства добрые я лирой пробуждал, что в мой жестокий век восславил я Свободу и милость к падшим призывал. Веленью божию, о муза, будь послушна. Обиды не страшась, не требуя венца, хвалу и клевету приемли равнодушно и не оспаривай глупца.

2. Разрежьте текст на строки (подсказка: устанавливайте курсор в конце строки и нажимайте Enter) и отформатируйте текст по образцу. Сохраните изменения в документе (чтобы сохранить изменения в уже сохраненном документе, нужно нажать кнопку Office и выполнить команду Сохранить).

А. С. Пушкин

Exegi monumentum

Я памятник себе воздвиг нерукотворный,

К нему не зарастет народная тропа,

Вознесся выше он главою непокорной

Александрийского столпа.

Нет, весь я не умру — душа в заветной лире

Мой прах переживет и тленья убежит,

И славен буду я, доколь в подлунном мире

Жив будет хоть один пиит.

Слух обо мне пройдет по всей Руси великой,

И назовет меня всяк сущий в ней язык,

И гордый внук славян, и финн, и ныне дикой

Тунгус, и друг степей калмык.

И долго буду тем любезен я народу,

Что чувства добрые я лирой пробуждал,

Что в мой жестокий век восславил я Свободу

И милость к падшим призывал.

Веленью божию, о муза, будь послушна.

Обиды не страшась, не требуя венца,

Хвалу и клевету приемли равнодушно

И не оспаривай глупца.

 ## ПОДСКАЗКА (ТАБЛ. 5)

Таблица 5. Действия с фрагментами текста

Фрагмент	Действия
А. С. Пушкин	Выделите фрагмент и нажмите: **Ж**, ▤ (выравнивание по центру), размер 16; выберите любой другой цвет шрифта
Exegi monumentum	Выделите фрагмент и нажмите: **Ж, К**, ▤ (выравнивание по правому краю), размер **12**, aᵇ⁷ (выделение текста — серый)

Фрагмент	Действия
Я памятник себе воздвиг нерукотворный, К нему не зарастет народная тропа, Вознесся выше он главою непокорной Александрийского столпа.	Выделите фрагмент и нажмите **К**. Щелкните в свободном месте (отмените выделение), установите курсор в любом месте строки *Александрийского столпа* и перетащите маркер красной строки (самый верхний треугольник на линейке)
Нет, весь я не умру — душа в заветной лире Мой прах переживет и тленья убежит, И славен буду я, доколь в подлунном мире Жив будет хоть один пиит.	Выделите фрагмент и нажмите **Ч**. Строку *Жив будет хоть один пиит* отформатируйте по аналогии со строкой *Александрийского столпа*
Слух обо мне пройдет по всей Руси великой, И назовет меня всяк сущий в ней язык, И гордый внук славян, и финн, и ныне дикой Тунгус, и друг степей калмык.	Выделите фрагмент и нажмите **Ж**, ▤ (выравнивание по центру)
И долго буду тем любезен я народу, Что чувства добрые я лирой пробуждал, Что в мой жестокий век восславил я Свободу И милость к падшим призывал.	Выделите фрагмент и выберите шрифт *Tahoma*, ▤ (выравнивание по правому краю)
Веленью божию, о муза, будь послушна. Обиды не страшась, не требуя венца, Хвалу и клевету приемли равнодушно И не оспаривай глупца.	Выделите фрагмент и выберите размер шрифта **16**. Строку *И не оспаривай глупца* отформатируйте, как описано в ячейке выше

Приложение 3
Комплексная работа над текстом

1. Наберите текст по образцу.

МУЖИЧОК С НОГОТОК

(14) «А что, у отца-то большая семья?» (2) Я из лесу вышел; был сильный мороз. (9) — «Здорово, парнище!» — «Ступай себе мимо!» (7) В больших сапогах, в полушубке овчинном, (3) Гляжу, поднимается медленно в гору (15) — «Семья-то большая, да два человека (4) Лошадка, везущая хворосту воз. (1) Однажды, в студеную зимнюю пору (6) Лошадку ведет под уздцы мужичок (5) И, шествую важно, в спокойствии чинном, (13) (В лесу раздавался топор дровосека.) (8) В больших рукавицах... а сам с ноготок! (12) Отец, слышишь, рубит, а я отвожу». (10 —) «Уж больно ты грозен, как я погляжу! (16) Всего мужиков-то: отец мой да я...» (11) Откуда дровишки?» — «Из лесу, вестимо;

2. Разрежьте текст на строки (номер каждой строки стоит в начале).

МУЖИЧОК С НОГОТОК

(14) «А что, у отца-то большая семья?»

(2) Я из лесу вышел; был сильный мороз.

(9) —) «Здорово, парнище!» — «Ступай себе мимо!»

(7) В больших сапогах, в полушубке овчинном,

(3) Гляжу, поднимается медленно в гору

(15) — «Семья-то большая, да два человека

(4) Лошадка, везущая хворосту воз.

(1) Однажды, в студеную зимнюю пору

(6) Лошадку ведет под уздцы мужичок

(5) И, шествуя важно, в спокойствии чинном,

(13) (В лесу раздавался топор дровосека.)

(8) В больших рукавицах... а сам с ноготок!

(12) Отец, слышишь, рубит, а я отвожу».

(10) — «Уж больно ты грозен, как я погляжу!

(16) Всего мужиков-то: отец мой да я...»

(11) Откуда дровишки?» — «Из лесу, вестимо;

3. Ориентируясь по номеру строки, расставьте их по порядку.

4. Удалите нумерацию строк.

5. Отформатируйте текст по образцу.

МУЖИЧОК С НОГОТОК

Однажды, в студеную зимнюю пору

Я из лесу вышел; <u>был сильный мороз</u>.

Гляжу, поднимается медленно в гору

Лошадка, везущая хворосту воз.

И, шествуя важно, в спокойствии чинном,

Лошадку ведет под уздцы мужичок

В больших сапогах, в полушубке овчинном,

В больших рукавицах... ~~а сам с ноготок!~~

— «Здорово, ПАРНИЩЕ!» — «Ступай себе мимо!»

— «Уж больно ты грозен, как я погляжу!

Откуда дровишки?» — «Из лесу, вестимо;

Отец, слышишь, рубит, а я отвожу».

<u>(В лесу раздавался топор дровосека.)</u>

«А что, у отца-то большая семья?»

*— «Семья-то большая, **да два человека***

Всего мужиков-то: отец мой да я...»

 ПОДСКАЗКА

Чтобы сделать строку (В лесу раздавался топор дровосека.) по образцу, ее нужно выделить, затем на вкладке
Главная в группе Шрифт нажать стрелку в правом нижнем углу, и в появившемся окне выбрать линию для подчеркивания (рис. 116).

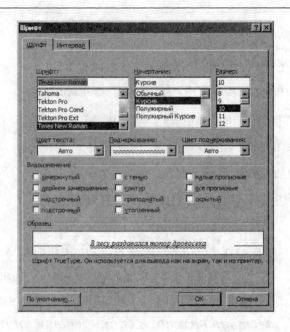

Рис. 116. Выберите линию для подчеркивания

6. Установите границы полей страницы: верхнее — 3 см, нижнее — 3 см, левое — 2,5 см, правое — 1,5 см.

7. Пользуясь предварительным просмотром, убедитесь в правильном расположении листа на странице.

8. Сохраните документ под именем Некрасов.doc в папке D:\Тексты.

Приложение 4
Самостоятельная работа с текстом

Наберите текст и отформатируйте его по образцу. Сохраните документ под именем Бабочка.docx.

БАБОЧКА

Ты прав. Одним воздушным очертаньем

Я так мила.

Весь бархат мой с его живым миганьем —

Лишь два крыла.

Не спрашивай: откуда появилась?

Куда спешу?

Здесь на цветок я легкий опустилась

~~И вот — дышу.~~

Надолго ли, без цели, без усилья,

Дышать хочу?

Вот-вот сейчас, сверкнув, раскину крылья

И улечу.

А. А. Фет

Приложение 5
Работа с таблицами

Создайте таблицу по приведенной ниже схеме.

1. Выполните команду Вставка ▸ Таблица ▸ Вставить таблицу (столбцов — 6, строк — 7).

2. Объедините ячейки 7, 10, 13, 16; затем — 8 и 11, 14 и 17. Объедините ячейки 1, 2, 3, 4, 5, 6 (выделите ячейки, выберите инструмент **Работа с таблицами**, перейдите на вкладку **Макет** и выполните команду **Объединить ячейки**).

1	4	7	10	13	16
2	5	8	11	14	17
3	6	9	12	15	18

3. Заполните таблицу.

Фамилия		Успеваемость по математике за год			
		Первое полугодие		Второе полугодие	
		Первая четверть	Вторая четверть	Третья четверть	Четвертая четверть
	Иванов А.				
	Петров К.				
	Сидоров Д.				

4. Отформатируйте текст.

Фамилия		Успеваемость по математике за год			
		Первое полугодие		Второе полугодие	
		Первая четверть	Вторая четверть	Третья четверть	Четвертая четверть
	Иванов А.				
	Петров К.				
	Сидоров Д.				

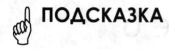

Успеваемость по математике за год — шрифт Verdana, размер 14, выравнивание по центру.

Первое полугодие, Второе полугодие — шрифт Verdana, размер 14, курсив, выравнивание по ширине.

Фамилия — выделите, выберите контекстный инструмент Работа с таблицами, перейдите на вкладку Макет

и в группе Выравнивание  выберите вариант ▤.

Первая четверть, Вторая четверть и т. д. — выделите все четыре ячейки, шрифт Times New Roman, размер 12, выберите контекстный инструмент Работа с таблицами, перейдите на вкладку Макет и в группе Выравнивание

нажмите . После одного нажатия текст повернется, если получился не тот вариант, который нужен, нажмите кнопку еще раз, и так до тех пор, пока текст не повернется правильно.

5. Измените ширину столбцов.

Фамилия	Успеваемость по математике за год			
	Первое полугодие		Второе полугодие	
	Первая четверть	Вторая четверть	Третья четверть	Четвертая четверть
Иванов А.				
Петров К.				
Сидоров Д.				

Приложение 6
Создание списков

Наберите текст по образцу и сохраните под именем Операции над фрагментом.docx.

Над фрагментом можно выполнять такие действия:

- копировать;

- перемещать;

- удалять.

Общая схема копирования (перемещения) фрагмента выглядит так.

- Выделяем фрагмент.

- Копируем (вырезаем).

- Устанавливаем курсор в то место, куда копируем (перемещаем).

- Вставляем.

 ПОДСКАЗКА

Наберите первую строку Над фрагментом можно выполнять такие действия: и нажмите Enter. После этого щелкните на стрелке инструмента Маркеры — выберите маркер. Введите первый элемент списка копировать и нажмите Enter — появится еще один маркер. После ввода слова удалять — также Enter. Появившийся маркер нужно убрать — отожмите кнопку Маркеры на панели инструментов. Второй список наберите аналогично, только пользуясь инструментом Нумерация. Для сохранения нажмите кнопку Office и выполните команду Сохранить или Сохранить как.

Учебное издание

КОМПЬЮТЕР НА 100%

Марина Виннер

КОМПЬЮТЕР БЕЗ СТРАХА ДЛЯ ТЕХ, КОМУ ЗА…

Ответственный редактор *А. Баранов*
Выпускающий редактор *В. Обручев*
Художественный редактор *Н. Биржаков*

ООО «Издательство «Эксмо»
127299, Москва, ул. Клары Цеткин, д. 18/5. Тел. 411-68-86, 956-39-21.
Home page: **www.eksmo.ru** E-mail: **info@eksmo.ru**

Подписано в печать 11.03.2011. Формат 70x100 $^1/_{16}$.
Печать офсетная. Усл. печ. л. 20,8.
Доп. тираж 8000 экз. Заказ № 2259

Отпечатано с готовых файлов заказчика в ОАО «ИПК
«Ульяновский Дом печати». 432980, г. Ульяновск, ул. Гончарова, 14

ISBN 978-5-699-36293-6

Оптовая торговля книгами «Эксмо»:
ООО «ТД «Эксмо». 142700, Московская обл., Ленинский р-н, г. Видное,
Белокаменное ш., д. 1, многоканальный тел. 411-50-74.
E-mail: **reception@eksmo-sale.ru**

*По вопросам приобретения книг «Эксмо» зарубежными оптовыми
покупателями* обращаться в отдел зарубежных продаж ТД «Эксмо»
E-mail: **international@eksmo-sale.ru**

*International Sales: International wholesale customers should contact
Foreign Sales Department of Trading House «Eksmo» for their orders.*
international@eksmo-sale.ru

*По вопросам заказа книг корпоративным клиентам,
в том числе в специальном оформлении,*
обращаться по тел. 411-68-59, доб. 2115, 2117, 2118.
E-mail: **vipzakaz@eksmo.ru**

*Оптовая торговля бумажно-беловыми
и канцелярскими товарами для школы и офиса «Канц-Эксмо»:*
Компания «Канц-Эксмо»: 142702, Московская обл., Ленинский р-н, г. Видное-2,
Белокаменное ш., д. 1, а/я 5. Тел./факс +7 (495) 745-28-87 (многоканальный).
e-mail: **kanc@eksmo-sale.ru**, сайт: **www.kanc-eksmo.ru**

Полный ассортимент книг издательства «Эксмо» для оптовых покупателей:
В Санкт-Петербурге: ООО СЗКО, пр-т Обуховской Обороны, д. 84Е.
Тел. (812) 365-46-03/04.
В Нижнем Новгороде: ООО ТД «Эксмо НН», ул. Маршала Воронова, д. 3.
Тел. (8312) 72-36-70.
В Казани: Филиал ООО «РДЦ-Самара», ул. Фрезерная, д. 5.
Тел. (843) 570-40-45/46.
В Ростове-на-Дону: ООО «РДЦ-Ростов», пр. Стачки, 243А.
Тел. (863) 220-19-34.
В Самаре: ООО «РДЦ-Самара», пр-т Кирова, д. 75/1, литера «Е».
Тел. (846) 269-66-70.
В Екатеринбурге: ООО «РДЦ-Екатеринбург», ул. Прибалтийская, д. 24а.
Тел. +7 (343) 272-72-01/02/03/04/05/06/07/08.
В Новосибирске: ООО «РДЦ-Новосибирск», Комбинатский пер., д. 3.
Тел. +7 (383) 289-91-42. E-mail: **eksmo-nsk@yandex.ru**
В Киеве: ООО «РДЦ Эксмо-Украина», Московский пр-т, д. 9.
Тел./факс: (044) 495-79-80/81.
Во Львове: ТП ООО «Эксмо-Запад», ул. Бузкова, д. 2.
Тел./факс (032) 245-00-19.
В Симферополе: ООО «Эксмо-Крым», ул. Киевская, д. 153.
Тел./факс (0652) 22-90-03, 54-32-99.
В Казахстане: ТОО «РДЦ-Алматы», ул. Домбровского, д. 3а.
Тел./факс (727) 251-59-90/91. rdc-almaty@mail.ru

*Полный ассортимент продукции издательства «Эксмо»
можно приобрести в магазинах* **«Новый книжный»** *и* **«Читай-город».**
Телефон единой справочной: 8 (800) 444-8-444.
Звонок по России бесплатный.

В Санкт-Петербурге в сети магазинов «Буквоед»:
«Магазин на Невском», д. 13. Тел. (812) 310-22-44.

*По вопросам размещения рекламы в книгах издательства «Эксмо»
обращаться в рекламный отдел. Тел. 411-68-74.*